Classici dell'Arte

41.

L'opera completa del
Correggio

Classici dell'Arte

Biblioteca Universale delle Arti Figurative
diretta da
PAOLO LECALDANO

Redattore capo
ETTORE CAMESASCA
Consulente critico centrale
GIAN ALBERTO DELL'ACQUA
Comitato di consulenza critica
BRUNO MOLAJOLI
CARLO L. RAGGHIANTI

ANDRÉ CHASTEL
JACQUES THUILLIER

DOUGLAS COOPER
DAVID TALBOT RICE

LORENZ EITNER
RUDOLF WITTKOWER

XAVIER DE SALAS
ENRIQUE LAFUENTE FERRARI
Redazione e Grafica
EDI BACCHESCHI
TIZIANA FRATI
PIERLUIGI DE VECCHI
SERGIO CORADESCHI
FIORELLA MINERVINO
SALVATORE SALMI
SERGIO TRAGNI
ANTONIO OGLIARI
MARCELLO ZOFFILI
Segreteria
FRANCA SIRONI
MARISA DE LUCIA
CARLA VIAZZOLI
Consulenza grafica e tecnica
PIERO RAGGI
Stampa e rilegatura a cura di
ALEX CAMBISSA
ROBERTO MOMBELLI
LUCIO FOSSATI
Colori a cura di
PIETRO VOLONTÈ

Comitato editoriale

ANDREA RIZZOLI

GIANNI FERRAUTO

HENRI FLAMMARION

FRANCIS BOUVET

HARRY N. ABRAMS
MILTON S. FOX

J. Y. A. NOGUER
JOSÉ PARDO

GEORGE WEIDENFELD

L'opera completa del

Correggio

Presentazione di
ALBERTO BEVILACQUA

Apparati critici e filologici di
A. C. QUINTAVALLE

Rizzoli Editore · Milano

Grazia laica:
dono dell'uomo a Dio

Di Antonio Allegri detto il Correggio si può affermare innanzi tutto che la sua pittura di 'visione', a differenza di quella religiosa del Tintoretto o di quella laica del Veronese, antepone la sensibilità al pensiero, la felicità biologica alla felicità dell'interpretazione e della conoscenza; ora, questa idea apparentemente elementare cessa di esserlo allorché ci rendiamo conto che la fortissima linfa biologica, anziché fare dell'artista un portatore di tendenze interne, astratte dal suo ambiente, acquista senza quasi bisogno di mediazioni intellettuali il valore di tendenza storica: tale da porre l'artista in rapporto critico con il suo ambiente. Inseguendo fantasie legate al corso della propria vita emotiva, cioè, il Correggio riesce a renderle con figure e 'visioni' che, in virtù di una pura e miracolosa forza interna (quasi una predestinazione), lasciano decifrare in sé una massiccia concezione dei più urgenti problemi dell'uomo, dalla religione alla povertà. Dall'irrazionalità, dunque, del suo bisogno creativo, l'artista passa con un procedimento sensibile alla razionalità, divenendone cosciente nell'atto stesso in cui la vede delinearsi nell'opera compiuta. Si spiega così, tra l'altro, l'implicita corrosione che nelle figurazioni correggesche si produce verso ciò che la Chiesa imperante e la teologia imponevano fosse dipinto, benché il Correggio continuamente affondasse in mezzo alle tonache, tra benedettini e benedettine, e attingesse alle commendatizie dei suoi protettori canonici con la lesta e meccanica devozione con cui si infilano le dita della mano nelle acquasantiere. Ciò è stato superficialmente interpretato, fino ad oggi, nei limiti di un'allegoria risolta in un ricco repertorio d'immagini, o astratta o ermetica; e si è parlato di architettura vegetale di spunto mantegnesco e leonardesco, di gioia degli occhi e dell'intelletto, di ornamento della società eletta. Il che è esattissimo.

Ma per capire il Correggio, senza fraintenderne la vera rivolta, è necessario percorrere più a fondo quel 'labirinto' che forma il limbo della sua arte, precisando alcuni punti: il Correggio antepone il 'mistero' della vita al 'problema'; mentre il problema va risolto e quando è risolto scompare, sia pure in geniale bellezza (la pittura risolutiva di Michelangelo), il mistero va sperimentato, rispettato, e anche la pittura lo propone logicamente senza risolverlo, perché è in sé irresolvibile. Il mistero indica all'uomo una serie di figure e di simboli che sono in grado di ricondurlo a idee, archetipi, condizioni primigenie, dicendo all'uomo stesso: scegli la tua parte di verità. E nel Correggio, per esempio, noi possiamo scegliere la 'grazia'; ma, attenzione: essa apparentemente è quella della teologia, cioè il dono soprannaturale e gratuito di Dio all'uomo per condurlo all'eterna salvezza; però, a ben guardare, attraverso il pennello del pittore si trasforma nel contrario, cioè in una grazia laica, che investe gli organi sensoriali più che lo spirito, e diventa diremmo 'il dono dell'uomo, naturale e pagato col sangue a Dio'. Intendendo un sangue appassionato e non luttuoso.

Oltre a ciò, nel Correggio non c'è figura, terrena o divina, che lo spettatore non senta di poter possedere, concretamente, attraverso un'affinità irresistibile e immediata, più forte del possesso sensoriale. E basta, a questo fine, un sorriso inequivocabilmente elaborato attraverso un dolore umano di generazioni, deposto con il suo valore di sutura felice di mille piaghe sulle labbra di una figura celeste; oppure uno sguardo reso vigorosamente schietto da un qualcosa che si intuisce essere stato un amore di carne, e inserito così nel volto trionfante di un Cristo. E basta ancora meno: una gota illuminata di quel tanto che spinge la mano dell'uomo ad accarezzarla, o un seno che è così forte e fiero di sé sotto il drappeggio, perché gli si attribuisce quasi la consapevolezza di quella nudità segreta e amorosa di cui abitualmente gode.

Chiediamoci ancora: fino a che punto si spinse l'autonomia morale del Correggio nei confronti di un Dio che gli servì, nelle opere, come alibi, come pretesto di forza spirituale da immettere in un gioco eminentemente pagano? Fino a che punto si può parlare di un sia pur paradossale ateismo? E, saltando ad altro, fino a che punto un'atavica vergogna della povertà, il pudore e la coscienza di questa povertà, hanno influito sul suo concetto del 'bello' così concreto, così aperto al possesso; sulla sua fantasia dolorosa, tormentata che cerca di farsi passare per ciò che non è, dal momento che la 'visione' correggesca acquista alto valore poetico e umano per quella tensione, evidente, di 'purificarsi' dalla nostalgia, dal dolore, dall'inquietudine, dal furore? Gli interrogativi non sono estranei tra di loro, perché ne risulta come la libertà spirituale del Correggio, che ci piace ricordare mentre corre a comprar terre nella 'sua' terra, abbia ben ramificate radici.

Ci soffermeremo tra poco su queste radici, con la grande influenza esercitata dall'ambiente sull'artista, anticipando fin d'ora che tra il dipingere del maestro e il suo predisporre in sé la pittura doveva correre, in un certo qual senso, lo stesso rapporto psicologico che correva tra il suo servirsi del linguaggio popolaresco, entro i perimetri domestici, e l'uso della lingua di convenzione e di convenienza al cospetto dei canonici: ricco di sensuali furbizie e di succhi, impietoso e argutamente blasfemo il primo, e aperta la seconda al raffinato gusto artistico, al senso fortissimo della dignità dell'uomo, al vagheggiamento idillico che troveranno splendore e corrosione in un secolo, il Cinquecento, che raccoglie in plenitudine i frutti della vigilia umanistica. Tutte queste premesse, in varia misura, si riscontrano nella famosa Camera delle benedettine nel Monastero di San Paolo a Parma, finita di decorare nel 1519; e non soltanto nella concezione ed esecuzione della 'stufetta' pagana, ma anche nella storia delle iniziative (controverse) che la consentirono. La regola delle benedettine avanzata dalla Congregazione di Santa Giustina di Padova, nel 1419, aveva acquistato maggior rigore nella riforma 'cassinese' nel 1504. In poche parole, negli anni in cui il Correggio la concepì e la condusse a termine, la paganeggiante stufetta risultava non solo messa in sospetto, ma proibita dalla regola dell'ordine. Da chi, dunque, vennero gli incentivi e gli avvalli all'impresa del Correggio, orientata da un'arte romana che oscilla tra Raffaello e il Michelangelo della Sistina?

Qualunque possa essere la risposta a questa domanda, le cose non cambiano. Resta la natura sottilmente beffarda, naturalmente critica dell'artista verso le istituzioni, quella stessa che, legata all'istinto e al-

l'estro, si decifra nella luce tragica e dolcissima insieme che il linguaggio ordinato e fantastico non riuscirà mai a spegnere in nessuna delle tele. Gli occhi del Correggio sono troppo abituati a fissare la realtà, e a servir da mezzo per cavarne il buon senso; perciò non credono negli assoluti del paradiso o dell'inferno, bensì nel calvario intermedio – tra bellezza e pena – del purgatorio. Siamo di fronte alla concezione dell'esistenza suffragata dall'equilibrio di un uomo che, pur dando per scontato che vengono da Dio, tocca le cose con il piacere di sentirne padrona la pelle delle mani. Ecco dunque che il discorso 'dietro' la tela dipinta si fa complesso. Come non riconoscere a questa coscienza intuitiva, acuta fino allo spasimo, un potere chiaroveggente sui futuri destini dell'uomo: non più eccelso (contro la corrente del tempo, categorica nel sostenere il senso fortissimo della dignità e della potenza creatrice umana), non più dannato nei tanti inferni, ma visto con la sua responsabilità di umanizzarsi tra le cose? Liberarsi dai pregiudizi, esorcizzare i fantasmi, ecco ciò che il Correggio dipinge tra le righe. E anche le manifestazioni del mondo vegetale e animale riconoscono all'uomo la priorità sui fenomeni della natura, ma non ne legittimano il distacco, quello stesso distacco che era comandato nelle regole religiose. A suo modo francescano (ama il Cantico, ma non le privazioni), il Correggio considera superflua qualunque lotta sia dentro la carne che verso i cieli: per lui, l'uomo è ancora, e sarà sempre, occupato verso se stesso, a imitare il primo atto della creazione divina, cioè a dar fiato alla propria creta, affinché il soffio perduri e la creta continui ad animarsi del calore della vita.

Ce lo conferma anche la biografia, sia con gli avvenimenti di una poco nota gioventù, sia con le aspirazioni in parte deluse della maturità. Garzone del Mantegna, dai dieci ai diciassette anni, il Correggio cresce assecondato in quelle tendenze istintive (nel senso della libertà, molto più che immaginativa, rispetto al contemporaneo e all'antico) che il sentimentalismo religioso di un Costa o di un Francia, benché predominanti nell'ambiente emiliano, non riusciranno poi ad assopire. Ciò concorre al formarsi di quella genialità critica, sia pure a livello di temperamento più che di cultura, implicito più che esplicito, psichico più che razionale, sulla quale abbiamo richiamato l'attenzione, non condividendo l'opinione che vorrebbe limitare l'artista in un disinteresse dei problemi che formano l'ordine conoscitivo e morale. Stiamo scrivendo, insomma, a favore di una 'coscienza' del

Correggio, le cui controversie e i cui slanci sono stati del tutto oscurati in bellezza dalla celeste capacità di creare per gli occhi; quasi che il pittore fosse storicamente predestinato a dissolvere in sé l'uomo e il suo ambiente.

Dibattuta fra tenerezza (quella delle 'cante' popolari, epico-liriche) e violenza, tra *gaudium vitae* e una drammatica avversione al sopruso dei potenti e delle istituzioni, Parma conquista dapprima la solitudine del Correggio, e poi la sua vocazione alla famiglia, agli affetti domestici: solo nel 1523, infatti, cioè al termine dei lavori nella cupola di San Giovanni, il maestro trasferisce i familiari nella zona prossima all'abbazia benedettina. Ciò nonostante, pur amichevole e ricca di identità psicologiche, la città rimane sempre una seconda patria, per non dire la terra del piccolo esilio, la piccola capitale di transito in attesa della grande capitale dello spirito (Roma), e ciò è dimostrato dai viaggi 'd'affari' che il Correggio compie tornando nelle zone d'origine con le tasche piene di soldi freschi di guadagno. Il Correggio investe in terreni. Sia per sentirsi concretamente legato alle proprie radici, da cui l'arte lo allontana, sia per sentirsi padrone. Egli crede nel "tanti, quantum habeas, sis", cioè nel detto oraziano secondo il quale l'essere sta nell'avere, applicandolo sui due fronti del rito pittorico e del rito agrario, con la duplice ambizione d'essere celebrato e ricco. Da buon padano, egli sa che il miglior sistema per difendersi dalle insidie immancabili nelle lusinghe dei potenti, siano questi ecclesiastici o laici (ma gli alti prelati lo deluderanno assai più spesso), è di coprirsi le spalle con un po' di buona terra, quella che non lascia morire di fame, in ogni caso. Egli impara così a distinguere il giusto verde di una pianta entrata in fecondità, non soltanto con l'occhio del pittore, ma anche con quello del contadino; così come assapora, *in loco*, quella salubre e agreste religiosità che acquista ancor più spessore sulla tela, quando la carne viene chiamata dalla luce, come il volo dell'insetto dalla candida polpa della lampada. Diversi sono i viaggi memorabili che registrano il ritorno dell'Allegri a Correggio, con la borsa pronta *ad divitias*: nel 1530 e nel 1533, per non parlare degli atti notarili del 1513 dai quali possiamo figurarci l'artista pignolo sulle clausole e agguerrito sul soldo. Ha dunque ragione chi sostiene che, nella bottega del Mantegna, si apprendeva non soltanto la magia del colore, ma anche a essere taccagni ed eroici più per se stessi (a suo modo, il Correggio lo fu nella strategia delle sue ambizioni) che per gli altri. Con la stessa abilità con cui predi-

sponeva i suoi contratti d'acquisto, infatti, il pittore si procurava i salvacondotti per togliersi da guerre e guerricciole che infestavano l'aria. Riuscì persino a procurarsi un certificato che lo trasformava in oblato benedettino: definitivamente immune da ogni preoccupazione di ordine guerresco, trionfasse o meno il commissario governativo apostolico. Questo l'uomo, con la saggezza della formica e le furbizie di chi non s'impiccia. Il resto, cioè il partecipare ai tempi, in quel perimetro che non coincide con gli interessi personali, era un'arguzia anche un po' pazza coltivata ai limiti dell'egoismo; era lo spirito beffardo che cova sotto la scorza della prudenza contadina.

Parma e Correggio, dunque, uno scambio di salute popolare, implicante passione, di sapore di vita vissuta nelle strade, non nelle *scuole*. L'andarsene da Parma rientrava esclusivamente nell'ambizione artistica, e ne era lo scotto; il Correggio sapeva benissimo che se il suo ingegno fosse "stato a Roma, avrebbe fatto miracoli, e dato delle fatiche a molti che nel suo tempo furon tenuti grandi" (parole del Vasari), perciò egli attendeva il suo momento, e cercava di favorirlo, con una costanza che a ben guardare era fiducia di sé: e addirittura pacifica superbia, quella che non gli aveva mai fatto difetto, nemmeno nei primi momenti, in virtù di quell'eccezionale salute artistica di cui s'è detto. A Roma, il Correggio era già stato nell'anno 1518, e le pagine del Longhi su questo viaggio, compiuto nella maturità della giovinezza, cioè a ventinove anni, riescono medianicamente a distinguere, nella sete di conoscenza dell'artista, l'avidità di ciò che è affine e il rifiuto del resto: non esistono compromessi o incertezze, tanto meno il dubbio dell'arte; esiste soltanto ciò che di 'correggesco' il genio umano ha dipinto. E non è un paradosso. Ma una riprova, anzi la prova del nove di come l'artista riuscisse a vedere la storia, e gli uomini, soltanto con il terzo occhio della sua pittura. Il Correggio visita le Stanze e la Sistina, e il Longhi — creando un itinerario del probabile, e cogliendone la magia — ipotizza anche una visita all'abside del bramantesco forlivese Melozzo, ai Santi Apostoli, e un'altra ancora alla cupoletta perduta che il Mantegna aveva affrescato in Vaticano, nel 1490, entro la cappella di Innocenzo VIII.

L'avventura romana si completa con queste due annotazioni, sempre longhiane: "Non è arbitrio critico chiamare padroni diretti della Camera di San Paolo, le finte statue e i finti bassorilievi, quasi di cera fumante, nell'aula bramantesca della *Scuola d'Atene* e le scene antiche nell'alto zoccolo decorativo sottostante al *Parnaso*"; e più oltre, in un inciso: "'Correggio c'est ma femme!', avrebbe potuto esclamare Michelangelo come Picasso di un suo strenuo fiancheggiatore". In poche parole, Roma resta nel sangue dell'artista, che si sente predestinato alle sue glorie (e non a sproposito, in quanto le sfiorerà). Nell'autunno del 1522, i fabbricieri stipulano un contratto con Antonio Allegri per affrescare la cupola, il coro e l'abside maggiore; ma dietro la contrattazione c'è quel cardinal Farnese, grande estimatore dell'artista, che stando ai calcoli avrebbe dovuto consentire la celebrazione mondana dell'ex allievo del Mantegna. I calcoli erano semplici. Il cardinale, prima o poi, sarebbe stato eletto papa, e si sarebbe ricordato dei suoi protetti in arte; il che puntualmente avvenne, ma con un ritardo di duecentoventiquattro giorni. Il Correggio muore il 3 marzo del 1534, e duecentoventiquattro giorni dopo Alessandro Farnese sale al soglio pontificio, con il nome di Paolo III. Un soffio, un'amara beffa della storia. Tanto più che il 'posto' che *in pectore* avrebbe dovuto essere del Correggio lo occupa Michelangelo, eletto pittore, scultore e architetto del Palazzo Vaticano; resta a noi la consolazione di veder smentita, in questo caso, la frase di Picasso applicata dal Longhi. "Mors tua, vita mea", ed è una conclusione non difforme dallo spirito con cui l'artista "dall'indole tenerissima, dalla grazia retrattile e concava", ma anche "dal fascino demonico, dalla smaliziata ilarità" (tutti giudizi dati da storici e critici), prendeva le cose della vita, soprattutto a Parma.

Ed era fatale che, a Parma, Antonio Allegri lasciasse la Cupola del Duomo, che abbiamo sempre considerato il suo testamento per emozioni, cioè il cantico alzato sul misterioso confine dove l'uomo è ancora protagonista della propria carne e già protagonista del proprio sogno: si produca quest'ultimo in gloria celeste o piuttosto in un delirio biologico dei sensi. Al Correggio che dipingeva la guancia della Vergine, appoggiata al corpo del Cristo con un dolore che non può altro che aspirare all'ultraterreno del paradiso, poiché rappresenta un'estrema conclusione terrena, si sostituisce l'altro Correggio, che sa portare la Maddalena a sfiorare il Bambino, con una dolente adorazione che aspira, invece, più alla terra che al cielo, in quanto il dolore non è umanamente fine o condanna definitiva, ma il primo segno del recupero della coscienza: apertura ad altri sentimenti che verranno, ad altre umane speranze. Il Correggio abbandonerà l'opera nel novembre del 1530, ma dalla statica corona degli Apostoli all'espansione efebica alla corona supre-

ma degli angeli, lo spazio geniale è ben sufficiente a rispecchiare la sintesi sia della singola vita dell'artista, con il suo mistero biologico e le sue seduzioni orfiche intercomunicanti, sia della vita di un intero secolo, con l'aspirazione del secolo precedente ad un sereno equilibrio di concetti e di forme, di spirito e di materia, che giunge ai presupposti di una civiltà nuova, del tutto umana e mondana.

In *Pictures from Italy*, del 1846, Charles Dickens si lagna dello spettacolo penoso fornito dai capolavori correggeschi della Cattedrale, rileva l'odore degli affreschi imputriditi sulla cupola, e conclude: "I conoscitori ne sono entusiasti anche oggi: per me però un labirinto di membra dipinte in scorcio, intricate fra di loro, involute e mescolate confusamente è ciò che nessun chirurgo impazzito potrebbe immaginare nel parossismo del delirio". Un'affermazione che, con la sua superficialità, ci è tornata in mente parecchie volte nella nostra adolescenza, mentre constatavamo il contrario, dirigendoci verso il coro e guardando esplodere le figure dagli archi con la potenza — ordinata nella luce vera e non più supposta — con cui un cieco miracolato afferra, cadendogli la tenebra dagli occhi, il primo spettacolo della vita. Lo scorcio è questo, e questo il fluido del chiaroscuro: dell'occhio umano che non contempla (e non deve contemplare) ma, in un istante di esplosione dei confini terreni in un'immensità ed eternità celesti, 'perfora', sotto una spinta sovrumana che non gli sarà mai più concessa, i terreni proibiti (che pure gli spetterebbero di diritto, appartenendo a Dio). Ecco, dunque. È l'uomo in causa, con la sua ottica medianica, e il fenomeno si produce dalla terra, non dal cielo, da chi aspira, non da chi trionfa. Il che apre, di fronte al Correggio, il sospetto che il suo istinto, capace di attraversare in pura sensibilità i secoli nei due sensi del passato e del futuro, abbia preavvertito la grande avventura dell'inconscio: ossia, e ci si perdoni il gioco di parole, il contrappunto umanamente divinatorio al divino.

C'è infine un'annotazione, dell'*abbé* Barthélemy, in *Voyage en Italie* (1755-57), che ci piace inserire in conclusione: "... quello della Maddalena è il modello più perfetto. Non so dove i pittori abbiano desunto che questa santa fu così bella. In un tempo in cui si confondeva con la peccatrice, si sarebbe creduto che tutte le donne di vita cattiva fossero belle? No certamente; ma i pittori sono stati ben felici di trovare per i soggetti sacri una donna che riunisce in sé le perfezioni della bellezza". L'ingenuo interrogarsi, intorno alla celebre figura bionda, investe bene, anche se inconsapevolmente, le corde segrete della femminilità che l'Allegri ha saputo evocare, non già dalle femminee intuizioni, ma dal contrario: diremmo dalla virilità deambulante, e pronta ad accendersi al colpo d'occhio, di chi, in ore di pigra luce, si perde per le strade (o per i borghi di Parma!) aspettando di vedersele passare di fianco, verso misteriose destinazioni, o camminare davanti, le ragazze e le donne: reali fin che dura il suono dei loro passi, il loro movimento registrato in luce di pelle e in segretezze di abito, e tormentose quando non ci sono più e i sensi tolgono alla retina il materiale visivo del giorno, divorandolo a poco a poco, e lasciando alla fine il vuoto di ciò che non si è avuto.

A parte ciò, la donna correggesca coincide con alcune condizioni che ce la rendono modernissima: con la libertà, innanzi tutto, per cui non è succuba di nulla, nemmeno del pregiudizio religioso; con quel socievole conforto che ne fa una compagna spiritualmente generatrice e non un oggetto di possesso o di disputa morale; con una plenitudine di sangue, quasi da stagione solare o da imminente regola naturale, che la fa irresistibilmente madre, ma dopo essere stata amante e compagna: tutta predisposta al concepimento in peccato. Nella donna, il Correggio conclude la sua profezia sulle "magnifiche sorti e progressive" della storia, dove spiritualità e natura si fondono, non nel rispetto dei modelli culturali resi classici o da rendere tali, ma nella riaffermazione dell'integrità umana sezionata dalle dottrine e dalle approssimazioni intellettualistiche, nel ripristino di una confidenza col mondo resa nevrotica dalle false tensioni. È così che l'umanità, raggiungendo uno stato di purezza, raccoglie in sé tutte le sue energie, tutti i poteri di cui sa disporre — dalla saldezza fisiologica alla bellezza all'infinitesima percezione oculare — per protendersi, al massimo di sé, verso i nuovi destini che le saranno rivelati. Verso le successive conquiste della ragione che, grazie a questa sana coscienza, potranno seguire le leggi scritte, o dipinte, nelle volte cosmiche.

E nulla distrae l'occhio del Correggio da una simile visione della verità creata, che è necessario ogni volta mettere a fuoco e purificare dagli inquinamenti provocati dall'uomo servo dei suoi fantasmi, affinché torni a essere verità.

ALBERTO BEVILACQUA

Correggio *Itinerario di un'avventura critica*

Sull'intero problema della vicenda storiografica si rimanda a S. De Vito Battaglia [*Correggio-bibliografia*, Roma 1934], autrice d'un contributo notevole, al quale si aggiungono qui due passi, non noti agli specialisti e quindi doppiamente interessanti, uno tratto da *Il mondo come volontà e rappresentazione* di Schopenhauer [1818], anteriore quindi a Schlegel [1827] e per ciò stesso assai significativo riguardo alla valutazione che del Correggio dà l'estetica romantica, e un altro tratto dall'*Estetica di* Hegel (scritta nel 1817-29 ed edita sulla base di appunti nel 1842, dunque ancora anteriore o, quanto meno, contemporanea al brano dello Schlegel stesso).

Scrive G. Vasari nella *Vita di Benvenuto Garofalo e di Girolamo da Carpi pittori ferraresi e d'altri lombardi*, onde giustificare un ampio elenco di opere dell'Allegri a Bologna, Modena e Parma, che "Girolamo [da Carpi] prese assai della maniera del Correggio. Onde, tornato a Bologna, l'imitò sempre ...". È chiaro il pretesto narrativo del Vasari: un viaggio di studio, il tipico viaggio di istruzione, di tradizione se si vuole plutarchiana, il viaggio di Gerolamo da Carpi che gli serve per introdurre l'esposizione su Correggio. Lo storico aretino, del resto, aveva inteso, nella duplice versione data alla *Vita* e alle notizie su Correggio nell'edizione del 1550 e in quella del 1568, l'esigenza di una ulteriore informazione sull'artista e, a tale proposito, egli fornisce anche il nome di colui che gli diede la traccia per la sua biografia, appunto lo stesso Gerolamo da Carpi. Può essere utile da un lato valutare la precisione dell'informatore vasariano, dall'altro intendere il tono della biografia stesa dallo storico e, insieme, il valore delle informazioni aggiunte al contesto nella ricordata *Vita* del Garofalo che, è chiaro, dovrà valutarsi come una integrazione vera e propria alla biografia propriamente detta. In primo luogo, quanto alla precisione, si deve dire che Gerolamo da Carpi fu

9

informatore non preciso, oppure il Vasari dovette prendere appunti frettolosi nel rapido viaggio di aggiornamento nel Settentrione e a Parma (il primo era stato nel 1542, il secondo nel 1566); certo è che, per esempio, egli cita a Parma: "nella chiesa de' frati de' Zocoli di S. Francesco vi dipinse una Nunziata in fresco ...", che è poi l'affresco dell'*Annunciazione* ora alla Galleria di Parma, affresco che proviene dalla chiesa dei Padri dell'Annunziata; e, ancora, confonde la *Danae* ora della Borghese con una *Venere*, ecc.: insomma, o l'interesse per l'artista non era tale da spingere lo studioso a un accurato viaggio di verifica, oppure l'informatore, ritenuto fidato, fornì notizie errate. Tono e carattere della biografia vasariana, importantissima da valutare in quanto momento chiave nella vicenda critica del Correggio, sono molto indicativi. Essi rientrano perfettamente nell'economia culturale dello storico aretino, in quella riedizione delle *Vite parallele* plutarchiane, in quella assai caratteristica concezione delle biografie degli artisti come *exempla virtutis* che sono state da altri, dallo Schlosser al Ragghianti, largamente poste in rilievo. Sarà comunque utile seguire brevemente l'analisi del Vasari per porre in evidenza alcune significative indicazioni e, anche, per valutare l'implicito discorso comparativo che peserà per alcuni secoli sulla vicenda storico-critica del Correggio.

Subito dopo le *Vite* di Leonardo da Vinci e di Giorgione, e cioè inserita tra gli artisti attivi nel Settentrione, sta dunque la trattazione su Correggio. Del resto il Vasari fa immediato riferimento al problema del luogo di nascita quando dice: "Io non voglio uscire dal medesimo paese, dove la gran madre natura, per non essere tenuta parziale, dette al mondo di rarissimi uomini della sorte che aveva già molti e molti anni adornata la Toscana, infra e' quali fu di eccellente e bellissimo ingegno dotato Antonio da Correggio, pittore singularissimo". Un primo aspetto che non mi sembra, finora, notato della biografia vasariana del Correggio e che la accomuna, parrebbe, a quelle di Leonardo e di Giorgione, è l'interesse di tutti e tre gli artisti per la ricerca e, forse anche nel caso dell'Allegri, per l'alchimia. Uno dei temperamenti, infatti, il "malinconico", è indicato dal Vasari come caratterizzante l'artista; e sebbene il punto non gli interessi in maniera particolare, proprio perché l'accento batte, vedremo, sulla non-cultura, in senso tosco-romano, del pittore, pure il passo risulta abbastanza agevolmente interpretabile nel senso indicato. Scrive dunque il Vasari: "Fu molto d'animo timido, e con incommodità di se stesso in continove fatiche esercitò l'arte, per la famiglia che lo aggravava: et ancora che fusse tirato da una bontà naturale, si affliggeva niente di manco più del dovere, nel portare i pesi di quelle passioni, che ordinariamente opprimono gli uomini. Era nell'arte molto maninconico e suggetto alle fatiche di quella e grandissimo ritrovatore di qualsivoglia difficultà delle cose, come ne fanno fede nel Duomo di Parma una moltitudine grandissima di figure, lavorate in fresco, e ben finite, che sono locate nella tribuna grande di detta chiesa: nelle quali scorta le vedute a di sotto in su con stupendissima meraviglia". Il lungo passo inizia in chiave psicologica, collega cioè la psicologia dell'artista all'indigenza familiare; ma pone anche un netto stacco tra questa supposta causa (le passioni degli uomini) e l'opera del pittore. Nell'arte, poi, dice l'aretino, era "molto maninconico", ed è chiaro che qui siamo dinanzi a un sistema di apprezzamento che non può vertere sul carattere, ma che si correla a tutto un preciso ambito di significati, e cioè il 'saturnino', se si vuole,

dell'artista e, insieme, come dimostra la struttura stessa del periodo, la sua abilità tecnologica, la sua capacità di far scorci, appunto come nella cupola del Duomo di Parma. È chiaro che il senso della parola 'maninconico' non è qui il medesimo che poco oltre nella stessa *Vita* quando, parlando della *Madonna di san Gerolamo*, ora alla Galleria di Parma, asserisce, a proposito dell'angelo con il libro spalancato: "il quale par che rida tanto naturalmente, che muove a riso chi lo guarda, né lo vede persona di natura malinconica che non si rallegri". A proposito di Leonardo, si deve dire che l'atteggiamento del Vasari è assai più esplicito: così, egli rammenta i contatti con Giuliano de' Medici e Leone X, e il comune interesse per l'alchimia, e ancora una serie di esperimenti con sottili budella gonfiate d'aria e, cosa assai caratterizzante e indicativa, con gli specchi, del resto già usati da Giorgione, e proprio a livello sperimentale. L'uso dello specchio, a parte l'ovvio riferimento alchemico all'immagine doppia, ha anche, a mio vedere, preciso riferimento a una disputa, ben nota, tra pittura e scultura; sono gli specchi appunto che permettono la visione simultanea di tutte le parti di una forma e, quindi, parrebbero dar la palma appunto alla pittura. Il tema dell'immagine speculare indirettamente quindi, e della dibattuta superiorità tra scultura e pittura era già nel Pino [*Dialogo di pittura*], e torna nel *Proemio* alle *Vite* del Vasari con riferimento diretto anche al dipinto di Giorgione; l'argomento comunque non inerisce al nostro discorso se non marginalmente, mentre risulta di diretto interesse accertare alcuni aspetti della cultura a Parma agli inizi del terzo decennio del sec. XVI, e forse anche prima, che coinvolgono appunto il tema della rappresentazione prospettica, insomma il tema del racconto.

Se consideriamo infatti che il Parmigianino opera contemporaneamente al Correggio in San Giovanni, non potremo non sottolineare la differente impostazione delle due esperienze e, quindi, leggere la differente matrice della sua cultura. Eppure questa collaborazione che si intuisce tra il Correggio e il Parmigianino e la scuola stessa, cioè gli esecutori, come il Rondani, del Correggio non è un fatto secondario nella storia della cultura parmense, e cercheremo di illuminarlo (nel *Catalogo*). Qui, per dare un'idea della complessità del problema, si dirà solo che il Parmigianino, già nella pala di Bardi, usa diversi tipi di prospettiva oltreché diversi punti di vista per l'impaginazione generale del dipinto; rammenteremo naturalmente il fiammingheggiante autoritratto su sezione sferica nel Kunsthistorisches Museum di Vienna; poi (come ci comunica Maurizio Fagiolo, che ha in stampa un volume su Parmigianino "alchemico") noteremo che, alle cappelle del San Giovanni, il Parmigianino, nei sottarchi, costruisce una complessa simbologia appunto alchemica; e infine che a Fontanellato il gioco del racconto, come ha dimostrato la Ghidiglia Quintavalle, si svolge tutto in un complesso discorso di immagini reali specchiate, di immagini dipinte, di personaggi reali, di personaggi mitici. Interessa, adesso, individuare piuttosto l'altro aspetto della biografia vasariana, quello che condiziona tutta la storiografia ulteriore di stampo accademico e che si compendia in poche frasi: "Et egli fu il primo che in Lombardia cominciasse cose della maniera moderna, perché si giudica, che se l'ingegno di Antonio fosse uscito di Lombardia, e stato a Roma, avrebbe fatto miracoli, e dato delle fatiche a molti, che nel suo tempo furono tenuti grandi. Conciosiaché, essendo tali le cose sue senza aver egli visto de le cose antiche e de le buone moderne, necessariamente ne seguita che se le avesse vedute, arebbe infinitamente migliorato l'opere sue, e crescendo di bene in meglio sarebbe venuto al sommo de' gradi". Dal lungo passo è chiara naturalmente, e implicita, la nota gerarchica vasariana tra le 'scuole', il valore dato al 'disegno' come momento eminente (e, con esso, alla scuola fiorentina e romana) dell'invenzione, infine il peso della *imitatio* in senso ciceroniano e, poi, della tradizione, trasmessa anche da Plinio, relativa al rapporto dell'arte romana con la greca; da tutto ciò si deduce che soltanto attraverso la conoscenza – non avvenuta – dei modelli antichi a Roma e dei grandi artisti contemporanei là attivi, Raffaello e Michelangelo, il Correggio avrebbe potuto trarre stimolo e spunto per svolgersi ulteriormente. La tesi, chiarissimamente esplicata ma, altrettanto chiaramente, come ha mostrato la recente storiografia, non fondata su dati di fatto, è servita appunto per limitare l'importanza del Correggio da un lato a livello accademico, dall'altro per delineare tutta una cultura, quella 'lombarda' (e sarebbe meglio dire emiliana), come vissuta fuori del giro significante delle esperienze toscoromane. Il problema è stato da noi affrontato più propriamente nel *Catalogo*, sicché non resta che proseguire nell'analisi della biografia vasariana, solo tenendo fermo un punto, e precisamente il tipo di discorso che anche la critica successiva, dal Mengs all'Affò, al Popham e al Longhi, ha compiuto, e cioè la asserzione d'un viaggio a Roma del Correggio, subito prima dell'inizio della Camera di San Paolo. Fatto è che l'Allegri ha certamente rapporti diretti con la cultura raffaellesca ben anteriori al 1518 circa, così che appare evidente come, anche in coloro che giustamente hanno reagito all'impostazione vasariana, il taglio stesso, polemico, del discorso dell'aretino abbia determinato un tipo di 'lettura' condizionata. Il Correggio, insomma, è direttamente implicato in alcuni dei più vivi fatti culturali della pittura del Settentrione da Leonardo e Giorgione, da una parte, e Raffaello, dall'altra; due culture e due esperienze tra le quali, a un certo punto, il Correggio opererà una scelta, chiara però soltanto al tempo michelangiolesco, per così dire, della cupola del San Giovanni. L'individuazione della 'scuola' cui il Vasari collega il Correggio non potrebbe essere più chiara, comunque, che nel periodo che segue immediatamente a quello riportato più sopra: "tengasi pur certo che nessuno toccò i colori, né con maggior vaghezza o con più rilievo alcun artefice dipinse meglio di lui, tanta era la morbidezza delle carni ch'egli faceva, e la grazia con che e' finiva i suoi lavori". Ecco dunque il paragone col 'naturale', uno dei tanti temi preferiti dell'analisi vasariana, evidenziato anche nell'Allegri. Però, si badi bene, la diversità rispetto a Raffaello, per esempio, è grandissima: Raffaello inventa storie, crea, possiede il dono del disegno (l' 'idea') e lo cala nel reale; il Correggio ha anch'egli capacità di reinventare il naturale, ma solo nei particolari, siano essi il rilievo, la morbidezza delle carni, o, ancora, i capelli, come l'aretino specifica altrove: "né è possibile vedere i più bei capelli, né le più belle mani o altro colorito più vago e naturale". Questo concetto tipicamente manieristico, e, meglio, caratteristicamente eclettico, del bello formato da un centone di *excerpta* da contesti differenti, spiega forse la ragione dell'atteggiamento del Vasari dinanzi al Correggio, cioè questo indicare le parti, addirittura le sezioni del corpo, nella cui realizzazione l'artista sembra eccellere; e non potendo comunque verificare la presenza dell' 'idea' nel contesto correggesco, è il Vasari appunto a preparare, indirettamente, una delle chia-

vi interpretative più consuete nell'ulteriore bibliografia: alludo all'interpretazione di un Correggio sensuale, un artista incolto da un lato (per cultura intendo quella umanistica, la filosofia insomma esplicata nelle Stanze raffaellesche o quella chiusa nella volta della Sistina); dall'altro, dunque, e per converso, un pittore di bellezze particolari (i putti, le Madonne), un pittore provinciale. Basta ricordare il passo vasariano relativo all'angelo della *Madonna di san Gerolamo*, oppure quest'altro sulla *Danae* Borghese: "sì di morbidezza colorita e d'ombre di carne lavorata, che non parevano colori, ma carni"; o questo sul *"Noli me tangere"* ora al Prado: "un quadro ..., nel quale Cristo in forma d'ortolano appare a Maria Maddalena, lavorato tanto bene e morbidamente quanto più non si può credere"; e si potrebbero citare a riprova i passi sulla *Madonna del San Sebastiano* ora a Dresda o la 'lettura', che il Vasari compie, in particolare nella *Vita di Gerolamo da Carpi*, degli affreschi del Correggio a Parma.

La valutazione finale del significato del Correggio, e il limite già da noi segnalato nell'economia dell'opera vasariana, possono essere messi in evidenza anche più facilmente. Il Vasari narra nella *Vita di Gerolamo da Carpi* che "tutti questi particolari seppi io dallo stesso Girolamo, che fu molto mio amico, l'anno 1550 in Roma et il quale meco si dolse più volte d'aver consumato la sua giovinezza et i migliori anni in Ferrara e Bologna e non in Roma o altro luogo, dove avrebbe fatto senza dubbio molto maggiore acquisto". Dunque un artista che si confessa ammiratore del Correggio ammette però il limite di quell'arte e la sua sostanziale differenza dalla pittura romana. Ma non basta; il Vasari pone infatti in bocca allo stesso Correggio l'ammissione dei propri limiti; vediamo quindi al termine della *Vita* un periodo molto indicativo: "e nel vero fu [il Correggio] persona che non si stimò né si persuase di saper far l'arte, conoscendo la difficoltà sua, con quella perfezione che egli avrebbe voluto. Contentavasi del poco e viveva da bonissimo cristiano". Dunque, l'Allegri è conscio della propria sostanziale inferiorità, di essere un artista provinciale; stante poi il carattere prevalente della sua produzione, il Vasari non manca di offrire un altro spunto alla futura storiografia artistica, spunto accolto specialmente dai biografi locali: la religiosità del Correggio. Non necessitano altri commenti, se non che nella chiusa il Vasari ribadisce sia la scuola, il 'colore', sia il collaterale specialismo dell'artista biografato, il 'dipingere i capelli'. Sentiamo anche questi due ultimi passi: "E fece alla pittura grandissimo dono ne' colori da lui maneggiati come vero maestro, e fu cagione che la Lombardia aprisse per lui gl'occhi ... Perché mostrandoci i suoi capegli fatti con tanta facilità nella difficoltà del fargli, ha insegnato come e' si abbino a fare. Di che gli debbono eternamente tutti i pittori".

Nell'edizione del 1550, il Vasari aveva addirittura raccontato della singolare abilità del Correggio da lui individuata nell'epitaffio al termine della *Vita*, un epitaffio di cui val la pena di riportare le prime due righe:

"Distinctos homini quantum natura capillos
efficit, Antoni dextra levis docuit".

È chiaro che spetta al Vasari il merito, se così possiamo dire, della gran parte delle 'letture' del pittore nei quattro secoli seguenti.

11

Dopo il Vasari, il problema critico del Correggio viene inteso in termini del tutto diversi dai Carracci: nel presente *Catalogo*, a proposito del problema del rifacimento della parte absidale del San Giovanni Evangelista, si rammentano le copie di Annibale e quelle di Agostino, conservate a Parma e a Napoli; e ai Carracci si deve, e alla concezione apparentemente eclettica del loro dipingere, invece storicamente cosciente e culturalmente stimolante e ricca, il superamento sostanziale dell'estetica delle 'scuole' vasariane. Esiste sì, è vero, fino al Lanzi, un filone di tipo accademico che percorre l'intera storiografia sul problema correggesco e che confina dunque l'artista ai margini rispetto alla grande tradizione tosco-romana; ma nel '600 e più nel '700 l'interesse per l'Allegri a livello letterario e a livello figurativo appare sempre più presente e vitale. Sono così direttamente o indirettamente coinvolti nella polemica con il Vasari, Scannelli [1657], Boschini [1660] e soprattutto Scaramuccia [1672]; mentre altri, come Félibien [1666], Du Fresnoy [1668], Bellori [1672], Sandrart [1675], prendono posizioni diverse, più sfumate o addirittura di ripresa accademica. È quindi del '700 il grande recupero del Correggio a livello di critica letteraria; e uno di coloro che, con maggior finezza, hanno saputo interpretare il problema culturale correggesco appare R. Mengs, sia nei *Gedanken über die Schönheit und den Geschmack in der Malerei* [Zürich 1762, e Bassano 1783], sia nelle *Memorie concernenti la vita e le opere di Antonio Allegri denominato Correggio* [Bassano 1783]. Prima di tornare al Mengs, non si possono non ricordare, fra le grandi ricerche erudite, quelle del Tiraboschi [1786] e anche di padre Resta, sebbene queste ultime [1707] siano da considerarsi con certo qual sospetto per i noti interessi antiquari dello studioso, il quale — come noto — accetta l'ipotesi del viaggio a Roma del Correggio e gli attribuisce disegni tratti dalle Stanze raffaellesche, appunto (qui sta il problema) in suo possesso. Per intendere la posizione del Mengs sarà forse utile ricordare alcune righe di J. von Schlosser [*Letteratura artistica*, 1964], nelle quali lo storico ricorda che la *Storia dell'arte dell'antichità* di Winckelmann deriva direttamente "dallo spirito della teoria italiana del classicismo quale l'aveva per l'ultimo formulata il ... Mengs". Si tratta di un momento singolarmente nuovo, questo della ricerca del Mengs, anche e soprattutto in rapporto alla tradizione bibliografica precedente; a parte infatti la sua 'scoperta' della Camera di San Paolo, quello che importa è il generale atteggiamento rispetto al Correggio. La polemica antivasariana appare chiarissima; l'emiliano viene inserito direttamente in un sistema del quale fanno parte i maggiori artisti del Rinascimento (i passi che seguono sono ricavati tutti dalle *Memorie* suddette): "Io ho detto, che Correggio possedé unitamente quelle varie parti della Pittura, delle quali ciascheduna da per sé ha fatto illustre un Pittore; come la verità e la grazia di Raffaello, il ridente Leonardo, l'impasto di Giorgione, e il colorito di Tiziano: confesso però che nel particolare di ciascheduna di queste cose egli fu meno eccellente di essi". Riconosce d'altro canto il Mengs, il quale tanto a lungo, come è noto, aveva studiato le Stanze vaticane e aveva anche copiato uno degli affreschi di Raffaello, che, "per quanto grande io consideri Correggio, non credo però maggiore di Raffaello"; e chiarisce: "Raffaello dunque dipingeva con più eccellenza gli affetti dell'anima, e Correggio gli affetti dei corpi"; comunque sia, "se Raffaello è alquanto superiore a Correggio, questi lo è molto più a tutti gli altri venuti dopo". La biografia del Mengs appare in pole-

mica, si diceva, con le *Vite* del Vasari, e può essere utile ricordare qualche passo indicativo, se non altro, della reazione contro la vasariana Accademia del disegno e contro quella specie di piramide costruita dallo storico aretino, con al culmine Michelangelo e la scuola tosco-romana. È nel '700 che l'interesse per il Correggio ha uno sviluppo singolare, e anzi è caratteristica nel Mengs la polemica contro Luca Giordano e il Gianquinto in nome della grazia e della sensibilità chiaroscurale e della capacità pittorica del Correggio; è una polemica personale quasi, perché, come noto, il Mengs incontrò direttamente sia il Gianquinto sia il Tiepolo alla corte spagnola, e la sua arte raffinatamente neocinquecentesca, non senza precisi ricordi delle pitture romane di Ercolano, allora di fresca scoperta, chiaramente si opponeva alle concezioni artistiche del pittore nato a Molfetta. Ma, al di là dell'interesse diretto nel dibattito, si deve riconoscere al Mengs una particolare sensibilità storica: i suoi argomenti antivasariani appaiono efficaci ed enunciati pacatamente: "La ritiratezza, in cui, come ho detto, visse Correggio, e l'incuria degli Scrittori delle Vite, saranno state causa, che Vasari fosse male informato delle circostanze di quella di Correggio, e degli altri Pittori Lombardi. A me piace più questa causa, che l'invidia, che molti gli attribuiscono. Il certo si è che anche nelle cose più indifferenti spettanti a Correggio, come sono gli assunti, e le descrizioni dei quadri, Vasari parla con equivoco, né dice il vero, come si vede nella relazione che fa di quelli, che Correggio dipinse pel Duca di Mantova, e in altre occasioni". E: "La Scuola Toscana difficilmente concede a niun'altra, che disegni al par di lei; e perciò credo, che Vasari volesse dir solamente, che Correggio non disegnava sì bene come Michelangelo, l'Eroe della sua Patria". Prosegue il Mengs notando la stranezza del Vasari, che riconosce al Correggio abilità particolare soltanto nel dipingere capelli, e ribadisce un punto che in precedenza era già stato posto in chiaro: "Conchiudo dunque, che Correggio studiò le Opere, e le massime degli Antichi, e de' migliori maestri per giungere ad essere quel prodigioso Pittore, che fu"; "Correggio è l'Apelle de' Pittori moderni, poiché al pari di quello egli ha posseduta la somma grazia dell'Arte". È dunque la grazia, unita alla sapienza nel rendere "gli effetti dei corpi", si è veduto, la più evidente caratteristica e la componente, per il Mengs, più significante della capacità espressiva del Correggio.

Col Mengs l'apprezzamento dell'artista prende dunque una nuova strada: il Correggio, pittore della grazia, rientra perfettamente nella 'poetica' di una ben individuata cultura del secolo; la sua stessa tecnica, come vedremo in qualche altro passo del Mengs, viene particolarmente esaltata in contrapposto alla maniera più grafica del classicismo michelangiolesco e della pittura barocca, a questo collegata; altro grande merito del Correggio è poi, per il Mengs, l'essere stato fonte di insegnamento per i Carracci. Ma veniamo ad alcuni specifici problemi di biografia; così, quello singolarmente importante del viaggio a Roma. Essendo nel sec. XVIII lo studio dei modelli e l'accademia preciso momento del *cursus studiorum* di un artista, e dunque fatto di 'poetica', l'accertamento del soggiorno romano appare elemento chiave per un nuovo giudizio sull'artista. Non si dimentichi poi che il dibattito del Mengs è sempre idealmente col Vasari, la cui biografia correggesca è dunque costante punto di riferimento. Scrive il Mengs: "io inclino a credere che Correggio andasse a Roma; che vi vedesse, e studiasse le Opere di Raffaello, e molto più quelle di Buonarroti; ma che essendo un carattere dolce, e modesto, unicamente occupato allo studio dell'Arte, sfuggisse i divertimenti delle compagnie, e la conoscenza degli altri Pittori, e perciò non si assoggettasse allo stile di veruno né si facesse imitatore, ma prendesse il bello dovunque lo scoprisse". Avverte inoltre: "Taluno mi dirà, che non si sa, che giammai andasse Correggio a Roma: ma io risponderò, che il non sapersi non prova, ch'egli non vi sia stato, poiché frequentemente vediamo, che di molti non si sa quello che han fatto finché non hanno acquistata una certa riputazione; e ordinariamente si sogliono conoscere in Roma soltanto que' professori, che vi lavorano, e non quelli, che come forestieri vi vanno col solo fine di studiare: ed è probabile, che di questo numero fosse Correggio: questa probabilità acquisterà più forza da altre ragioni, che addurrò in appresso". Comunque, tornando al problema più generale, interessa rammentare il passo relativo alla formazione dei Carracci; si parla della cupola del San Giovanni: "le forme sono bellissime, e serviron di modello ai Carracci, e particolarmente a Lodovico, nelle di cui Opere si conosce, ch'ei si propose imitarle. Chi esamina con attenzione questa pittura, s'indurrà a credere, che Correggio vide le opere di Michelangelo". E ancora, circa l'abside, rammenta che, "trovandosi allora in Parma Annibale Carracci gli fecero que' Monaci far copie di tutto colle stesse misure; e rifatta la nuova Tribuna vi fecer ricopiar esse copie da Cesare Aretusi. Le copie dei Carracci furono comprate dalla Casa Farnese, e ora sono nel Museo di Capodimonte in Napoli". La sensibilità dell'analisi del Mengs per il fatto pittorico non può neppure essere dimenticata; per esempio, in questo passo sulla *Madonna di san Girolamo*: "In quanto alla maniera, con cui questa Pittura è eseguita, è da notarsi, che ha un impasto, e una grossezza di colore, che non si vede in verun'altra, e nello stesso tempo è fatta con una limpidezza, che è molto difficile conservare usando tanto colore; ma il più difficile in questo genere di Pittura così impastata è la varietà delle tinte, e il vedere, che i colori sembrano non posti col pennello, ma come se fossero stati fusi insieme a guisa di cera sul fuoco". Mi sembra pure importante notare che il Mengs offre riprova di un fatto singolare per l'invenzione finale della cupola del Duomo, e cioè che l'Allegri ricevette dal Begarelli, il ben noto scultore a lui contemporaneo, collaborazione per fare "tutti i modelli in rilievo di tutte le figure che dipinse in questa cupola"; sembra importante, un fatto del genere, per chiarire il processo della ricerca correggesca.

Non possiamo seguire le pur sensibili analisi, per esempio, dei dipinti di Dresda, dalla *Madonna del San Francesco* in avanti; si può quindi concludere questa rilettura del Mengs con un altro passo, molto significativo per chiarire le ragioni settecentesche del recupero del Correggio: "Ma benché la Pittura fosse giunta a grado sì eminente per le terribili forme di Michelangiolo, per i veri tuoni de' colori di Tiziano, e la perfetta espressione di Raffaello, e grazia naturale, le mancava tuttavia qualche cosa, cioè un complesso di diverse eccellenze, che è l'estremo dell'umana perfezione. Questo complesso è in Correggio, il quale, al grandioso, e al vero, unì una certa eleganza, che odiernamente porta il nome di Gusto, il quale significa il proprio, e determinato carattere delle cose, escludendo tutte le parti indifferenti, come insipide ed inutili. Correggio fu il primo, che dipinse col fine di dilettar la vista o l'animo degli Spettatori, e diresse tutte le parti della pittura a questo fine".

'Gusto' e 'diletto', ecco i due poli, dalla parte dell'artista e da quella dello spettatore, del giudizio di R. Mengs; lo stacco dal sistema evolutivo del Vasari non poteva essere più netto; arte, dunque, come piacere dei sensi, e quindi analizzabile nella sua 'tecnica'. Il critico ha un metro di giudizio interno allo stile dell'artista, e non sarà poco per gli sviluppi della ricerca sul Correggio.

Quale chiarimento ulteriore ai temi affrontati dal Mengs appare opportuno ricordare la posizione del contemporaneo Affò nel volumetto *Il parmigiano servitor di piazza* [Parma 1796]. Nella breve opera sono riuniti quattro dialoghi tra vari interlocutori (il conte Monlupo, Arnaldo, Frombola, Scricca), usciti separatamente e in anni successivi, dal 1793 al 1796; nei dialoghi, appunto, l'Affò istruisce il visitatore sulle bellezze artistiche della città di Parma. La prevalenza degli interessi è per la pittura; ma, diversamente, per esempio, da altri critici del secolo precedente, come a Venezia il Boschini (sia nella *Carta*, sia nelle *Ricche minere della pittura veneziana*), abbiamo qui anche numerosi riferimenti ad architetture. Gli interessi dell'Affò sono poi significativamente orientati in direzione nettamente non accademica: apprezza le tarsie dei Da Lendinara e di Luchino Bianchino, parla della pittura tardogotica locale, ecc. La ricchezza e l'esattezza delle informazioni potranno essere verificate anche a proposito del Correggio; così, per esempio, viene accertata l'anteriorità della cupola del San Giovanni rispetto a quella del Duomo; si stabilisce la cronologia dei pagamenti della cupola stessa del Duomo; infine, in relazione all'assegnazione al Correggio della Camera di San Paolo, l'Affò muta opinione fra il secondo e il terzo dialogo, e, precisamente, nel 1795 pubblica il suo *Ragionamento ... sopra una stanza dipinta dal celeberrimo Antonio Allegri da Correggio nel Monistero di San Paolo in Parma*, dove, ricalcando ora il parere accertato del Mengs, accetta l'attribuzione della Camera. Il *Dialogo III*, del 1795, riflette dunque questa nuova convinzione dell'Affò.

Come si è inteso anticipare nelle poche righe premesse alla presente analisi, momento del recupero a livello di cultura letteraria del Correggio resta però l'epoca romantica, e non sembri da poco aver integrato le citazioni di Schlegel con altre, che facciamo seguire, da Schopenhauer e da Hegel (che, come noto, si legava a Rumohr per i giudizi sull'arte). Così dunque Schopenhauer [1818; ed. ital., Bari 1968]: "Bisogna tuttavia ben distinguere dai quadri, che hanno per soggetto la parte storica o mitologica del giudaismo e del cristianesimo, quelli nei quali il verace ossia l'etico genio del cristianesimo viene offerto all'intuizione, rappresentandovisi uomini che di quel genio son pieni. Codeste rappresentazioni sono invero le più alte e ammirabili opere della pittura: riuscite unicamente ai maestri maggiori dell'arte, a Raffaello e al Correggio, quest'ultimo particolarmente nei primi quadri. Opere di tal natura non vanno annoverate tra le pitture storiche, imperocché di solito non presentano un fatto, un'azione: sono bensì semplici gruppi di santi, o del Salvatore medesimo, spesso ancor bambino, con sua madre, angeli, ecc. Nei loro volti, e specialmente negli occhi, vediamo l'espressione, il riflesso della più perfetta conoscenza: di quella che non a singole cose è rivolta, bensì ha pienamente afferrato le idee, ossia l'intero essere del mondo e della vita". Proprio a questo momento di ricerca romantica può essere collegato l'interesse di Schopenhauer per le opere giovanili del Correggio e, ancora, in altro passo concernente la *Notte* di Dresda, troviamo un'acuta osservazione sulla luce del dipinto, sul suo valore allegorico, cioè simbolico, che dà la chiave anche storica del recupero da parte della cultura germanica; il passo fra l'altro dice: "Sì, quel senso nominale, quell'intenzione allegorica fa spesso danno al senso reale, alla verità intuitiva: come, per esempio, l'innaturale luce della *Notte* del Correggio, la quale, per quanto ben dipinta, tuttavia è motivata solo dall'allegoria, e in realtà impossibile".

Più schematica, se si vuole, la trattazione di Hegel, che menziona il Correggio in vari luoghi dell'*Estetica*; per esempio (cito dall'edizione di Milano, 1963) scrive che, mentre Raffaello rievoca l'antico toccando "un'aperta e serena chiarezza e accuratezza di rappresentazione", l'Allegri, "invece, fu superiore per l'incanto magico del chiaroscuro, per la delicatezza e la grazia spirituale dell'animo, delle forme, dei movimenti, della disposizione dei gruppi", ed è probabile che qui Hegel si rifaccia al Mengs piuttosto che al Vasari; comunque in altri passi, organizzando il consueto sistema triadico, assegna un particolare luogo al Correggio, accomunandolo (con singolare intuizione, questa volta, tuttavia solo formale) a Leonardo da Vinci, e fra l'altro asserisce: "Dal punto di vista della modellatura rientra qui la padronanza del chiaroscuro, di cui furono maestri fra gli italiani già Leonardo da Vinci e soprattutto Correggio. Essi sono arrivati fino alle ombre più profonde, che però a loro volta restano illuminate e per passaggi insensibili si innalzano fino alla luce più chiara. Viene così ad apparire la più perfetta rotondità, e non vi è mai durezza né limite, ma ovunque passaggio; luce e ombra non operano immediatamente solo come luce e ombra, ma entrambe traspaiono l'una nell'altra, come una forza interna viene ad operare attraverso un esterno".

Alla fortuna nella critica tedesca del Correggio corrisponde, come è noto, l'interesse per l'artista da parte della cultura romantica: basti rammentare fra tutti Stendhal; mentre d'altro canto, in sede locale, inizia una nuova 'lettura' correggesca, questa volta in chiave accademica, a opera del Toschi e della sua scuola, la quale inizierà a incidere nel primo '800 sia la riscoperta Camera di San Paolo, sia le altre opere maggiori dell'artista in Parma: è una 'lettura', ripeto, in chiave nettamente formale, nella quale il Correggio perde tutti quei valori di luce, di tessitura cromatica, quelle trasparenze che lo caratterizzavano entro i termini della filosofia plotinica, intendo della ricerca di Leonardo e di Giorgione. Si dovrà comunque tener conto anche di questo capitolo terminale per valutare il seguente apprezzamento del Correggio.

Ma forse è opportuno passare direttamente a un brevissimo rendiconto della critica ulteriore, dalle monografie del Meyer [1871] alle nuove attribuzioni del Morelli, fino alla monografia del Ricci [1896] e a quella del Thode [1898]. E si noti il peso che la critica tedesca ha, dopo quegli inizi da Schlegel a Schopenhauer a Hegel, e con le presenze a Dresda delle grandi pale correggesche, nella vicenda generale dell'artista. Comunque, gli studi che hanno dato i maggiori contributi al ripercorrimento del complesso lavoro del maestro sono quelli di A. Venturi [1926], tanto nella monografia che nella *Storia dell'arte italiana*, e la monografia del Ricci [1930]. Anzi si deve riconoscere che proprio da questa tutti i lavori successivi hanno preso le mosse, grazie soprattutto all'esattezza del catalogo critico e alla ricchezza dell'informazione. Naturalmente gli studi del Venturi e del Ricci si contrappongono sul filo della rinnovata *querelle* circa il Correggio 'romano' o no: il Venturi sostenendo il

viaggio a Roma e l'esperienza delle Stanze di Raffaello e della Cappella Sistina di Michelangelo; il Ricci, negando invece quel viaggio, riduce la tematica della Camera di San Paolo, per esempio, a una serie di desunzioni da monete classiche, e mantiene perciò in vita l'antica tesi vasariana del Correggio 'genio' lombardo.

Le tappe della critica ulteriore possono essere brevemente sintetizzate: i saggi del Longhi appaiono, specie per la ricostruzione del periodo giovanile, a mio vedere, significativi; lo studioso, infatti, sia nel volume sulla Camera di San Paolo [1956] sia nell'articolo del 1958 ["P"], riafferma il viaggio a Roma del Correggio, oltre che le sue esperienze primitive, sul Garofalo piuttosto che sul Dosso (gli esordi del Dosso vanno posticipati rispetto a quanto si riteneva all'inizio del nostro secolo), quindi sul Beccafumi, il gran manierista senese; quanto all'esperienza romana, il critico la pensa ubicabile nel 1518, *ante* il gennaio 1519, quando il Correggio è di nuovo in patria, e ne suggerisce anche le tappe: Stanze vaticane di Raffaello – talune parti –, la volta sistina di Michelangelo, non Melozzo o la cappelletta mantegnesca già esistenti in Vaticano. Al saggio del Longhi segue una serie di contributi critici assai importanti: con l'attuazione dei restauri della cupola in San Giovanni Evangelista e dell'intero *corpus* nella chiesa, la Ghidiglia Quintavalle può pubblicare un testo dell'Allegri in pratica sconosciuto, il fregio del tamburo, e rendere noti anche, dopo il volume del 1962, una serie di inediti correggeschi nella crociera del presbiterio e lungo quest'ultimo (fregio); infine, stabilire una cronologia interna plausibile dell'intero lavoro in San Giovanni Evangelista. La monografia del 1961 del Bottari, tenuta in chiave di 'lettura' formale, appare strumentalmente meno utile rispetto a quella, assai più completa, del Ricci; comunque il Bottari suggerisce alcune nuove prospettive per la ricerca, collegando soprattutto il Correggio di San Paolo con l'ornamentazione alla Farnesina, e dunque con l'ultimo tempo di Raffaello: tesi, questa, che si discosta da quella ricerca più complessa indicata dal Longhi nelle Stanze. Chiarimenti ulteriori sono venuti anche dagli studi, sempre della Ghidiglia Quintavalle, sull'intero problema della scuola, per la questione della cappella Del Bono, pure in San Giovanni Evangelista, ove il Correggio opera solo fornendo disegni per gli affreschi del sottarco di ingresso (Popham [1957], invece, aveva suggerito un'attribuzione al maestro, almeno parziale, della stesura); e per il problema dei rapporti, entro la scuola correggesca, tra Anselmi e Rondani, oltreché tra Anselmi e il maestro stesso. Su questi punti, anche altri, lo Zamboni [1958] in particolare, e precisamente sul tema dell'esecuzione del fregio lungo la navata di San Giovanni Evangelista, erano già proficuamente intervenuti, definendo l'impossibilità d'una assegnazione al Correggio dell'opera per quanto concerne la traduzione pittorica (assegnazione proposta dallo stesso Popham), se non forse in un brano nella penultima campata a sinistra della nave maggiore.

Come si vede, la terminale vicenda critica del Correggio si confonde ormai coi problemi del catalogo stesso delle opere, cui si deve fare rimando; restano forse aperte alcune linee di ricerca sulla tematica: sull'Allegri non-narratore, sui suoi nessi con la cultura di Marsilio Ficino; soprattutto, il tema dei rapporti fra il tardo Correggio, Tiziano e il Parmigianino e, quindi, la verifica della nostra ipotesi di un Correggio "maninconico", in senso alchemico.

Il colore
nell'arte del
Correggio

Elenco delle tavole

Nell'edizione normale
In copertina:

Part. della *Notte* [n. 75].

*Il numero arabo posto qui fra parentesi
quadre dopo il titolo di ciascuna opera si riferisce alla numerazione dei dipinti adottata
nel Catalogo delle opere che inizia a p. 86.*

AV. I   SANTA CATERINA Londra, National Gallery [n. 4]
Assieme (cm. 48×38).

TAV. II MADONNA COL BAMBINO, DUE ANGELI E CHERUBINI Firenze, Uffizi [n. 6]
Assieme (cm. 20×16).

NATIVITÀ, CON I SANTI ELISABETTA E GIOVANNINO Milano, Brera [n. 12]
Assieme (cm. 77×99).

TAV. IV   MADONNA CON IL BAMBINO E SAN GIOVANNINO Madrid, Prado   [n. 20]
Assieme (cm. 48×37).

TAV. V QUATTRO SANTI New York, Metropolitan Museum [n. 26]
Assieme (cm. 172×126).

TAV. VI   MADONNA CAMPORI   Modena, Galleria Estense   [n. 35]
Assieme (cm. 58×45).

TAV. VII   MADONNA CON IL BAMBINO E SAN GIOVANNINO Milano, Castello Sforzesco [n. 29]
Assieme (cm. 68×49).

TAV. VIII LA ZINGARELLA Napoli, Capodimonte [n. 31]
Assieme (cm. 39×47).

TAV. IX   RIPOSO DURANTE LA FUGA IN EGITTO, CON SAN FRANCESCO Firenze, Uffizi [n. 32]
Assieme (cm. 129×106).

TAV. XI   ADORAZIONE DEI MAGI Milano, Brera [n. 38]
Assieme (cm. 84×108).

TAV. XII   ADORAZIONE DEI MAGI   Milano, Brera   [n. 38]
Particolare (cm. 45×37).

TAV. XIII NOZZE MISTICHE DI SANTA CATERINA Napoli, Capodimonte [n. 40]
Assieme (cm. 28×24).

TAV. XIV   COMMIATO DI CRISTO DALLA MADRE Londra, National Gallery [n. 36]
Assieme (cm. 87×77).

TAV. XV   "NOLI ME TANGERE" Madrid, Prado [n. 42]
Assieme (cm. 130×103).

TAV. XVI   "NOLI ME TANGERE" Madrid, Prado [n. 42]
Particolare (cm. 53,5×44).

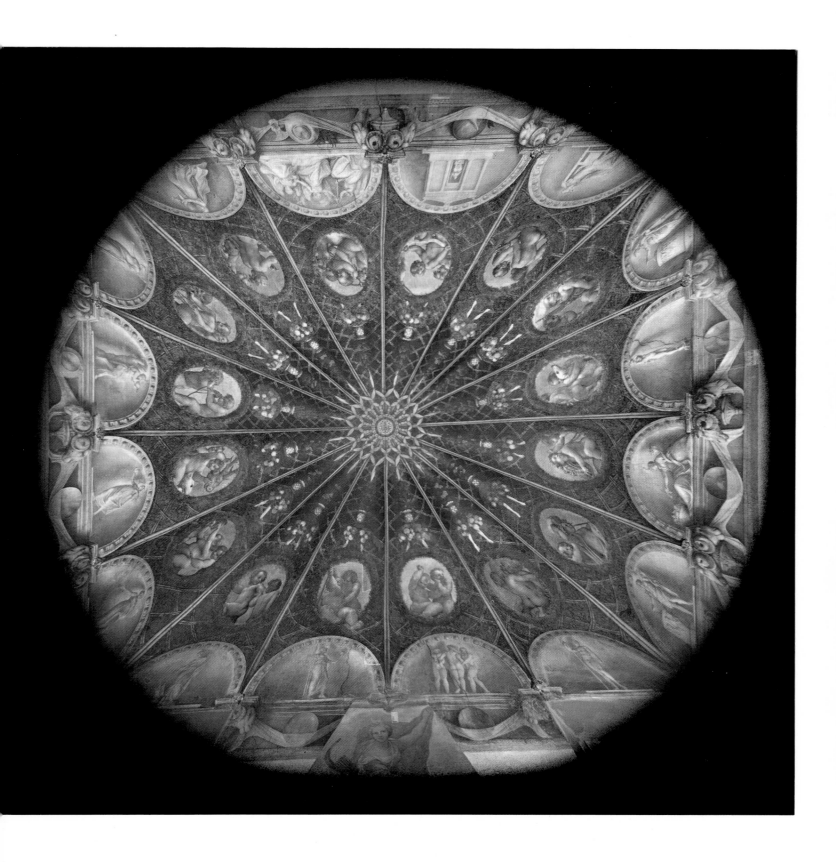

AV. XVII AFFRESCHI NELLA CAMERA DI SAN PAOLO Parma [n. 45-47]
Veduta complessiva (cm. 645×697 c.).

TAV. XVIII   AFFRESCHI NELLA CAMERA DI SAN PAOLO Parma
Particolare del lato ovest [n. 45 N e O, 46 N e O] (cm. 405×340 c.).

TAV. XIX   AFFRESCHI NELLA CAMERA DI SAN PAOLO Parma
Ovato con putti [n. 45 G] (cm. 110×90 c.).

TAV. XX   AFFRESCHI NELLA CAMERA DI SAN PAOLO Parma
Lunette con Giunone castigata e le Grazie [n. 46 G e C] (ciascuna, cm. 100×170 c.).

TAV. XXI AFFRESCHI NELLA CAMERA DI SAN PAOLO Parma
Diana sul carro [n. 47] (cm. 200×227 c.).

TAV. XXII   MADONNA DELLA SCALA Parma, Galleria [n. 55]
Assieme (cm. 160×110).

TAV. XXIII   AFFRESCHI DI SAN GIOVANNI EVANGELISTA Parma [n. 49-51]
Veduta complessiva della cupola e dei pennacchi (cm. 1600×1300 c.).

TAV. XXIV   AFFRESCHI DI SAN GIOVANNI EVANGELISTA Parma
Particolare della cupola: Santi Filippo e Taddeo [n. 49 A⁵] (cm. 370×305 c.).

AFFRESCHI DI SAN GIOVANNI EVANGELISTA Parma
Particolare della cupola: Santi Giacomo Minore e Tommaso [n. 49 A⁶] (cm. 370×305 c.).

TAV. XXVI AFFRESCHI DI SAN GIOVANNI EVANGELISTA Parma
Particolare della cupola: San Simone [n. 49 A⁸] (cm. 370×305 c.).

AFFRESCHI DI SAN GIOVANNI EVANGELISTA Parma
Particolare della cupola: Santi Bartolomeo e Mattia e, in basso, l'Evangelista Giovanni [n. 49 A^3 e A^2] (cm. 370×305 c.).

TAV. XXVIII   AFFRESCHI DI SAN GIOVANNI, EVANGELISTA Parma
Pennacchio con i Santi Luca e Ambrogio [n. 50 D] (cm. 360×300 c.).

TAV. XXIX A   AFFRESCHI DI SAN GIOVANNI EVANGELISTA (Abside) Parma
La Vergine incoronata da Cristo (Parma, Galleria) [n. 52 A] (cm. 212×342).

TAV. XXIX B   AFFRESCHI DI SAN GIOVANNI EVANGELISTA Parma
Lunetta con San Giovanni Evangelista giovane [n. 54] (cm. 79×160).

TAV. XXX   RITRATTO D'UOMO Milano, Castello Sforzesco [n. 61]
Assieme (cm. 60×43).

TAV. XXXI   ANNUNCIAZIONE   Parma, Galleria   [n. 60]
Assieme (cm. 115×157).

TAV. XXXII-XXXIII   COMPIANTO SU CRISTO MORTO   Parma, Galleria   [n. 56]
Assieme (cm. 160×186).

TAV. XXXIV   MADONNA DELLA CESTA Londra, National Gallery [n. 64]
Assieme (cm. 34×25).

TAV. XXXV MARTIRIO DI QUATTRO SANTI Parma, Galleria [n. 57]
Assieme (cm. 160×135).

TAV. XXXVI MARTIRIO DI QUATTRO SANTI Parma, Galleria [n. 57]
Particolare (cm. 65×53).

MARTIRIO DI QUATTRO SANTI Parma, Galleria [n. 57]
Particolare (cm. 65×53).

TAV. XXXVIII   NOZZE MISTICHE DI SANTA CATERINA, CON SAN SEBASTIANO Parigi, Louvre [n. 66]
Assieme (cm. 105×102).

AV. XXXIX   MADONNA IN ADORAZIONE DEL BAMBINO   Firenze, Uffizi   [n. 62]
Assieme (cm. 81×67).

TAV. XL   GIOVE E ANTIOPE Parigi, Louvre [n. 72]
Assieme (cm. 190×124).

EDUCAZIONE DI AMORE Londra, National Gallery [n. 71]
Assieme (cm. 155×92).

TAV. XLII   EDUCAZIONE DI AMORE   Londra, National Gallery   [n. 71]
Particolare (cm. 34×28).

TAV. XLIII   MADONNA DELLA SCODELLA Parma, Galleria [n. 76]
Assieme (cm. 218×137).

TAV. XLIV   MADONNA DELLA SCODELLA Parma, Galleria [n. 76]
Particolare (cm. 91×75).

TAV. XLV   IL GIORNO Parma, Galleria [n. 70]
Assieme (cm. 205×141).

TAV. XLVI   IL GIORNO Parma, Galleria [n. 70]
Particolare (cm. 61×50).

TAV. XLVII   IL GIORNO Parma, Galleria [n. 70]
Particolare (cm. 61×50).

AFFRESCHI NEL DUOMO Parma [n. 68-69]
Veduta complessiva (cm. 1900×2800 c.).

TAV. L   AFFRESCHI NEL DUOMO Parma
Particolare della cupola, con angeli [n. 68] (cm. 200×165 c.).

AV. LI   AFFRESCHI NEL DUOMO Parma
Particolare della cupola e del tamburo, con Apostoli ed efebi [n. 68] (cm. 280×230 c.).

TAV. LII AFFRESCHI NEL DUOMO Parma
Particolare della cupola, con l'Assunta [n. 68] (cm. 190×150 c.).

AFFRESCHI NEL DUOMO Parma
Particolare della cupola, con Eva [n. 68] (cm. 190×150 c.).

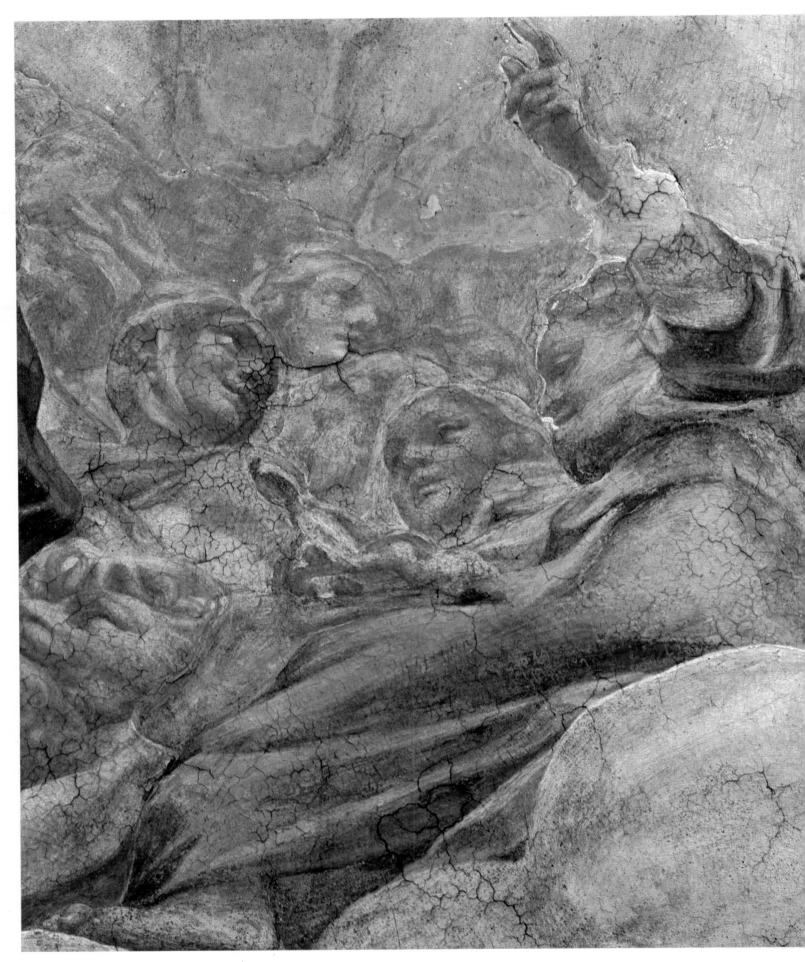

TAV. LIV AFFRESCHI NEL DUOMO Parma
Particolare della cupola, con Sante e angeli [n. 68] (cm. 110×90 c.).

AFFRESCHI NEL DUOMO Parma
Pennacchio con San Giovanni Battista [n. 69 A] (cm. 550×450 c.).

TAV. LVI   LEDA Berlino, Staatliche Museen [n. 78]
Assieme (cm. 152×191).

AV. LVII   LA NOTTE   Dresda, Gemäldegalerie   [n. 75]
Assieme (cm. 256,5×188).

TAV. LVIII   LA NOTTE Dresda, Gemäldegalerie [n. 75]
Particolare (cm. 73×60).

TAV. LIX LA NOTTE Dresda, Gemäldegalerie [n. 75]
Particolare (cm. 73×60).

DANAE Roma, Galleria Borghese [n. 77]
Assieme (cm. 161×193).

GANIMEDE Vienna, Kunsthistorisches Museum [n. 80]
Assieme (cm. 163×71).

IO   Vienna, Kunsthistorisches Museum   [n. 79]
Assieme (cm. 163×71).

ALLEGORIA DEL VIZIO Parigi, Louvre [n. 83]
Assieme (cm. 141×86).

Analisi
dell'opera pittorica del
Correggio

Allo scopo di rendere immediatamente palesi gli elementi essenziali di ciascuna opera, l'intestazione di ogni 'scheda' porta, dopo il numero del dipinto (che segue il più attendibile ordine cronologico, e al quale si fa riferimento ogni qualvolta l'opera sia citata nel corso del volume), una serie di simboli, riferiti: 1) all'esecuzione del dipinto, cioè al suo grado di autografia; 2) alla tecnica; 3) al supporto; 4) all'ubicazione; 5) ai seguenti altri dati: se l'opera sia firmata, datata, se si presenti oggi completa in tutte le sue parti, se sia stata portata a termine. Gli altri numeri inseriti nella stessa intestazione riguardano, quelli in alto le dimensioni dei dipinto in centimetri (altezza e larghezza), quelli in basso la sua datazione: quando tali dati non possono essere indicati con certezza, ma solo in via approssimativa, sono fatti precedere o/e seguire dalla stelletta *, a seconda che l'incertezza riguardi il periodo precedente la datazione indicata, quello successivo, o entrambi. Tutti gli elementi forniti registrano l'opinione prevalente nella moderna storiografia d'arte: ogni discordanza di rilievo e ogni ulteriore precisazione vengono dichiarate nel testo.

82 Esecuzione

- Autografa
- Con aiuti
- Con collaborazione
- Con estesa collaborazione
- Di bottega
- Prevalentemente attribuita
- Prevalentemente respinta
- Tradizionalmente attribuita
- Recentemente attribuita
- Opera dubbia
- Indicazioni fornite nel testo

Tecnica

- Olio
- Tempera
- Affresco

Supporto

- Tavola
- Tela
- Muro
- Indicazioni fornite nel testo

Ubicazione

- Località aperta al pubblico
- Collezione privata
- Località ignota
- Opera perduta, o indicazioni fornite nel testo

Dati accessori

- Opera firmata
- Opera datata
- Opera incompleta o frammento
- Opera non finita
- Opera priva delle peculiarità suddette, o indicazioni fornite nel testo

Bibliografia essenziale

FONTI - G. VASARI [Le vite ..., Firenze 1568²], G. P. LOMAZZO [Trattato dell'arte della pittura ..., Milano 1584; e Rime, Milano 1587], I. DONESMONDI [Dell'Istoria ecclesiastica di Mantova, Mantova 1612-16], F. SCANNELLI [Il microcosmo della pittura, Cesena 1658], M. BOSCHINI [La carta del navegar pitoresco, Venezia 1660].

SCRITTI DEL '7-800 - F. ALGAROTTI [Raccolta di lettere sopra la pittura e architettura, Livorno 1765], A. R. MENGS [Opere ..., Parma 1780], C. G. RATTI [Notizie storiche sincere intorno la vita e le opere del celebre pittore Antonio Allegri da Correggio, Finale 1781], G. TIRABOSCHI [Notizie de' pittori, scultori e architetti ... di Modena, Modena 1786; e Lettere al Padre Ireneo Affò, a cura di C. Frati, Modena 1895], I. AFFÒ [Ragionamento sopra una stanza ... nel Monastero di San Paolo in Parma, Parma 1794; e Il Parmigiano servitore di Piazza, Parma 1799], L. LANZI [Storia pittorica della Italia, Venezia 1795-96], F. MILIZIA [Dizionario delle Belle Arti del disegno ..., Bassano 1797], CH. DE BROSSES [Lettres historiques et critiques sur l'Italie, Paris 1799], STENDHAL [Rome, Naples et Florence, Paris e London 1817], L. PUNGILEONI [Memorie istoriche di Antonio Allegri detto il Correggio, Parma 1817-21], C. D'ARCO [Notizie di Isabella Estense ..., "ASI" (per questa e le successive abbreviazioni, si veda l'elenco dato qui sotto) 1845; e Delle Arti e degli Artefici di Mantova, Mantova 1857], J. BURCKHARDT [Der Cicerone, Basel 1855], P. MARTINI [Studi intorno al Correggio, Parma 1865], G. CAMPORI [Lettere artistiche inedite, Modena 1866], J. MEYER [Correggio, Leipzig 1871], Q. BIGI [Notizie di Antonio Allegri ... e di altri pittori ...,

Modena 1873; e Della vita e delle opere ... di Antonio Allegri ..., Modena 1881], I. LIERMOLIEFF (G. MORELLI) [Die Galerien Roms ..., Leipzig 1875; e Kunsthistorische Studien über Italienische Malerei ..., Leipzig 1891], A. VENTURI [Quadri del Correggio per Albinea, "ASA" 1888; Note sul Correggio, "A" 1915; Un documento del viaggio a Roma di Antonio Allegri ..., "A" 1923; Due disegni e un ritratto inediti del Correggio, "A" 1926; Il Correggio, Roma 1926; e Storia dell'arte italiana, IX, Milano 1926], H. THODE [Correggio's Madonna von Casalmaggiore, "JPK" 1891; e Correggio, Leipzig 1898], J. STRZYGOWSKY [Das Werden des Barok bei Raphael und Correggio, Strassburg 1898].

STUDI MODERNI - A. BARILLI [L'allegoria della vita umana nel dipinto correggesco della Camera di San Paolo in Parma, Parma 1906], G. GRONAU [Correggio, Stuttgart e Leipzig 1907], A. LUZIO [La galleria dei Gonzaga ..., Milano 1913], O. HAGEN [Correggio Apokryphen, Berlin 1915; Correggio und Rom, "ZBK" 1916; e Die Camera di S. Paolo zu Parma, München 1924], G. PACCHIONI [Scoperta di affreschi giovanili del Correggio in S. Andrea di Mantova, "BA" 1916], R. LONGHI [Il Correggio nell'Accademia di S. Ferdinando a Madrid e nel Museo di Orléans, "A" 1921; Il Correggio e la Camera di S. Paolo a Parma, Genova 1956; e Le fasi del Correggio giovine e l'esigenza del suo viaggio romano, "P" 1958], G. COPERTINI [Note sul Correggio, Parma 1925], C. RICCI [Correggio, Roma 1930], B. BERENSON [Italian Pictures of the Renaissance, Oxford 1932, London 1957, London 1968], L. TESTI [La cattedrale di Parma, Parma 1934], S. DE VITO-BATTAGLIA [Cor-

reggio, Roma 1934; e Correggio, "Dizionario biografico degli italiani" II, 1960], A. O. QUINTAVALLE - C. BRANDI - G. COPERTINI - G. MASI [Mostra del Correggio (catalogo), Parma 1935], A. QUINTAVALLE [La Galleria di Parma, Roma 1939], E. BODMER [Il Correggio e gli emiliani, Novara 1943], R. PALLUCCHINI [I dipinti della Galleria Estense, Roma 1945], P. BIANCONI [Tutta la pittura del Correggio, Milano 1953], F. BOLOGNA [Ritrovamento di due tele del Correggio, "P" 1957], E. POPHAM [Correggio's Drawings, London 1957], S. ZAMBONI ["AAM" 1958], S. RESTA [Correggio in Roma, a cura di E. Popham, Parma 1958], S. BOTTARI [Correggio, "Enciclopedia universale dell'arte" III, 1958; e Correggio, Milano 1961], R. FINZI [Il Correggio nel suo tempo, "AMDM" 1958], A. GHIDIGLIA QUINTAVALLE [Il Correggio del Popham ..., "AP" 1958; La Galleria Estense di Modena, Genova 1959; Michelangelo Anselmi, Parma 1960; Gli affreschi del Correggio in San Giovanni Evangelista a Parma, Milano 1962; La cupola del Correggio in San Giovanni Evangelista a Parma, "P" 1962; Ignorati affreschi del Correggio ..., "BA" 1965; e La "Madonna della Scala" del Correggio ..., "P" 1968], C. VOLPE [Una copia da Correggio di Lelio Orsi, "AAM" 1958], J. FENYO [Some newly-discovered Drawings by Correggio, "BM" 1959], G. PACCAGNINI - A. MEZZETTI [Catalogo della Mostra del Mantegna a Mantova, Venezia 1961], E. PANOFSKY [The Iconography of Correggio's Camera di San Paolo, London 1961], A. e C. QUINTAVALLE [Arte in Emilia, Parma 1961], R. TASSI [Il Duomo di Parma ..., Milano 1967], C. QUINTAVALLE [Correggio: le scelte critiche, "ACV" 1969].

Elenco delle abbreviazioni

A: "L'Arte"
AAM: "Arte antica e moderna"
ACV: "AA.VV. - Arte come comunicazione visiva"
AMDM: "Atti e memorie della Deputazione di storia patria per le antiche province modenesi"
AP: "Aurea Parma"
ASA: "Archivio storico dell'arte"
ASI: "Archivio storico italiano"
BA: "Bollettino d'arte"
BM: "The Burlington Magazine"
GBA: "Gazette des Beaux-Arts"
IV: "Illustrazione vaticana"
JPK: "Jahrbuch der preussischen Kunstsammlungen"
P: "Paragone"
PA: "Pantheon"
ZBK: "Zeitschrift für bildende Kunst"

Documentazione sull'uomo e l'artista

1489. Verosimilmente Antonio Allegri nasce prima del 30 agosto a Correggio; tuttavia non si hanno documenti sull'avvenimento, o meglio non sono noti documenti diretti. A. Luzio [1913] desume la data 1489 dall'atto di allogazione dell'ancona di San Francesco (n. 14 del *Catalogo*), del 30 agosto 1514: poiché un giovane sino a venticinque anni non poteva prendere impegni senza il consenso paterno e senza la sanzione del giudice, e poiché nel documento non si fa menzione dell'autorità di quest'ultimo, evidentemente il Correggio aveva almeno venticinque anni, cioè era nato prima del 30 agosto 1489. L'atto è riportato dal Pungileoni [1818]: "Antonius fil. Peregrini de Allegris ibi praesens per se, cum consensu ejus patris praesentis et consensus dantis, promisit et solemniter convenit Ven. Viro Fratri Hieronimo de Cataniis ... se facere et pingere et construere Anchonam unam ...".

I genitori del futuro pittore erano Pellegrino de Allegris, dunque, e Bernardina Ormani, che il Vasari ricorda persone di modesta condizione, mentre eruditi locali vollero in seguito presentarli come piuttosto agiati e di nobile origine, ma senza addurre prove. Dalla cittadina d'origine, presso Reggio Emilia, l'Allegri derivò il soprannome con cui è universalmente noto; 'Lieto' (o, latinamente, 'Laetus'), con cui si trova spesso denominato, è la versione umanistica del suo cognome.

1503-05. In questo periodo l'Allegri avrebbe frequentato la bottega del Bianchi Ferrari [A. Venturi]. Lo Spaccini, peraltro, nella copia da lui stesa nel 1543 delle cronache di T. Lancillotto, in un elenco dei principali pittori in Modena rammenta quale maestro del Correggio un Francesco del Bianco.

1506. Secondo la notizia del Donesmondi [1613], lavora a Mantova nella cappella funebre del Mantegna in Sant'Andrea (si veda n. 1 e 2).

1511, 12 GENNAIO. Fa da padrino a un neonato di casa Vigarini a Correggio [Pungileoni].

1514. Il 4 luglio R. Zuccardi destina una casa al convento di San Francesco in Correggio, per pagare le spese d'una pala destinata all'altar maggiore; certo

N. Selli si prende la casa e versa, per la pala, 95 ducati e 74 soldi a fra' G. Catanei dei francescani. Del 30 agosto è l'allogazione, accennata qui sopra (*1489*), per la pala di San Francesco, convenuta con rogito dello Zuccardi e altri, recatisi in casa del pittore a sottoscrivere l'impegno. Il 4 ottobre si stipula, fissando il compenso di cento ducati, il contratto con Piero de' Landini per la tavola su cui il Correggio dovrà dipingere la pala destinata a San Francesco (n. 14) [Pungileoni].

1516, 4 OTTOBRE. Il pittore fa da padrino, in Correggio, ad Anastasia Elisabetta, figlia di un "Joan Antonio de Tovaliolis" [Pungileoni].

1517. Risulta che il 18 maggio sta lavorando a una *Madonna* (ora perduta; si veda n. 41) per la chiesa di San Prospero ad Albinea (Reggio Emilia): si desume da una lettera [A. Venturi, "ASA" 1888] dell'arciprete della chiesa stessa, G. Guidotti, ad A. Malaguzzi, perché questi scriva al pittore, pregandolo di seguire un procedimento diverso o usare altri materiali, per garantire una durata maggiore al dipinto, a meno che la stesura non si trovi "tanto inanze che non la possa lasarla".

Il 14 luglio l'Allegri fa da testimonio, assieme a M. Fassi, in un atto notarile steso in Correggio da Francesco A. Bottoni [Pungileoni].

In data 16 dicembre lo stesso M. Fassi lascia erede la chiesa di San Quirino in Correggio, a patto che vi si erga una cappella "cum uno altare cum una anchona cum quattuor sanctis, S. Leonardus, S. Marta, S. Petrus Apostolus et S. Maria Magdalena". San Quirino, però, non fruì della donazione, che venne rinnovata nel 1528 per la chiesa di San Domenico nella stessa città; il Fassi da ultimo dona ogni suo avere alla chiesa della Misericordia, pure a Correggio, dalla quale proviene il dipinto, ora al Metropolitan Museum di New York (n. 26), raffigurante i quattro santi suddetti.

1518. È di nuovo testimone, nel mese di gennaio, in un atto del notaio F. Bottoni (si veda *1517*) [A. Venturi].

Pure a Correggio, il 17 marzo è padrino al battesimo di Rosa di Francesco Bertoni [*Id.*] (ci si può domandare se non si trat-

ti, in realtà, dello stesso notaio Bottoni).

1519. Il 1° gennaio risulta di nuovo fra i testimoni d'un rogito steso a Correggio dal notaio Bottoni [Pungileoni]; ricomparirà nella medesima veste in ulteriori documenti dello stesso notaio in data 4 e 15 settembre.

Un mese dopo, il 1° febbraio, nel palazzo di Manfredo, signore di Correggio, viene stipulato un atto di donazione a favore di Antonio Allegri, compiuto da Francesco Ormani, suo zio da parte di madre ("Egregius vir Franciscus Qm Nic. de Ormano hab. in castro vet. terrae Corrigiae, ibi praesens, vollens et intendens, ob merita et servitia quae de continuo habuit diversimode et in diversis et pluribus necessitatibus suis ab egregio et discreto juvene nepote suo magistro Antonio pictore filio Pellegrini ..." [in Pungileoni]. La donazione sarà impugnata, dando luogo a lunghe liti.

Il pittore prende in moglie Gerolama del fu B. Merlini de Braghetis, armigero, nata — stando al Pungileoni — nel 1503.

Il viaggio a Roma del Correggio deve essere avvenuto nella primavera di quest'anno, protraendosi non molti mesi, poiché il pagamento del 6 luglio 1520 (si veda) vincola il ritorno a un periodo tale per cui dovette rimanergli il tempo di avviare (col necessario corredo di abbozzi, disegni, cartoni ecc.) l'impresa in San Giovanni Evangelista a Parma, cui si sta per accennare, per non dire dell'ornamentazione della Camera in San Paolo, pure a Parma e che, essa pure, viene ascritta al 1519.

1520-23. Lavora a Parma nella chiesa di San Giovanni Evange-

Supposto autoritratto del Correggio negli affreschi della cupola del Duomo a Parma.

lista (n. 49-54). Il Ratti e l'abate Andrea Mazza parlano di pagamenti ricevuti dall'Allegri nel 1519 da parte del monastero committente, e la notizia viene accolta dal Tiraboschi; ma il Pungileoni rileva che nei registri di spese, ancora esistenti, manca l'annotazione di tali pagamenti. È invece provato un versamento al pittore in data 6 luglio 1520 (trenta ducati aurei "per principio de pagamento de la nostra cuba [cupola]"), ed esiste una lettera del monastero in cui si estendono al Correggio e a tutti i membri della sua famiglia i benefici spirituali della Congregazione del monastero (15 maggio 1521). I pagamenti per il ciclo si protrarranno fino al 1524, come provano i seguenti atti [in Pungileoni].

16 agosto 1520: "Magistro Antonio da Corezo pictore de la cuba del Choro debi fare lire cento cinquanta a lui numerate per el P. Priore fu addì 6 Jullij videlicet ducati 30 doro sopra el suo lavorerio L. 150. Item el soprascritto pictori debi fare lire cento Imperiali videl. Ducati vinti d'oro a lui numerati per D. Bernardo sopra sua opera de pingere la cuba . . . . . L. 100".

8 giugno 1523: "M. Antonio da Coreza, pictor de la nostra Ecclesia, de dar numero a lui presente ser Francesco Pigon ducati sessanta d'oro in oro largi sopra la sua mercede de dicta pictura como apare per polize de sua mano posto in filza dove se chiama havere receputo in più poste fino a questa hora ducati 220 d'oro. Et io D. Jo. Maria lo ho fatto scripto de mia propria mane. Como lui resta avere per saldo de li suoi conti ducati 52".

4 gennaio 1524: "M. Antonio depintore de dar ducati venticinque d'oro largi numerati a lui pel S. D. Zo. Maria sopra il suo credito de le picture fatti nella nostra Chiesia di S. Zo. Evangelista ...".

23 gennaio 1524: "Io Antonio Lieto da Correggio pictore ho receputo a dì soprascritto da D. Zoa. Ma. da Parma ... ducati 27 de oro in oro largi in moneta a nome del ditto mon., e sono per intero pagamento e resto de la mercede mia de la pictura fatta in ditta Chiesa e così mi chiamo contento e sattisfatto e integramente pagato ..." (è, dunque, il saldo, e il pittore si dichiara soddisfatto).

1521. In data 26 luglio i parenti di Gerolama Merlini determinano la dote spettante alla moglie del Correggio, cui vengono assegnate case e terre per 257 ducati [Pungileoni].

Il 3 settembre viene battezzato Pomponio Quirino, primo figlio del pittore [Id.], che seguirà modestamente la professione paterna.

Nello stesso mese, l'Allegri appare quale testimone in un atto steso a Correggio dal notaio N. Mazzucchi [Id.].

Pure a settembre, il pittore nomina N. Balbi quale suo procuratore nella causa da lui intentata contro gli Ormani, che gli contestano il possesso dei beni donatigli dallo zio. Del dicembre dello stesso anno sono note due sentenze relative alla causa, una favorevole e l'altra contraria al Correggio [Id.].

1522. La moglie del pittore fa istanza, con atto (4 maggio) del notaio A. Pastori della Nucca, per avere libero possesso dei beni dotali [Pungileoni]. Il 16 giugno il notaio stesso fa l'inventario della mobilia richiesta da Gerolama Merlini [Id.].

Con atto del 14 ottobre, A. Pratoneri di Reggio Emilia commissiona al Correggio la Notte (n. 75) per la propria cappella in San Prospero della sua città. Compenso pattuito: "lire 208", di cui il committente versa una parte, avendogli presentato il pittore un disegno che viene approvato (si veda anche 1530).

Il 3 settembre si stipula l'impegno per gli affreschi nel Duomo di Parma (n. 68-69). Ecco alcuni brani del documento [in Pungileoni]:

"... Milesimo quingentesimo vigesimo secundo Indictione decima die tertia mensis Novembris. Reverendi D. Pascalius de Baliardis et Galeaz de Garimbertis Ambo Canonici Ecclesiae Parmensis D. ... Magnificus Eques auratus D. Scipio Dalla Rosa parmensis: omnes Fabricantes Ecclesiae praedictae parmensis et quilibet ipsorum tenore praesentis publici instrumenti et omni meliore modo, sic jure et causa, quibus magis et melius ius potuerunt et possunt dicto nomine et nomine vice fabricae praedictae parmensis Ecclesiae se se convenerunt et conventionem fecerunt et faciunt cum magistro Antonio de Corrigia pictore praesente, conducente stipulante et recipiente pro se suisque haeredibus et successorum laborerium picturae ecclesiae predictae, hoc modo et cum pactis, modis et conditionibus infrascriptis, videlicet ...

"Primo, che detto Mastro Antonio sia obbligato quanto tiene il choro, la cupola, co suoi archi e pilli senza le capelle laterali e diricto andando al Sacramento, fassa, crosera, et nichie con le sponde, et ciò che de muro si vede in la capella insino al pavimento, e trovatolo circha de pertiche 150. vel circha, quadre da ornar de picture cum quelle istorie ch saranno date, che jmitano il vivo, o il bronzo, o il marmoro, secondo richiede a li suoi iochj et il dovere della fabrica et la ragione e vaghezza de ipsa pictura a sue spese.

"Item che predicti Dmni Fabricanti siano obbligato, et così promettono a dicto Mastro Antonio de dar a dicto M.ro Antonio ducati cento in foglio per

hornar dicte picture, et opera, et per la mercede sua de dicta pictura ducati mille de oro et de darge li ponti facti, e la calcina da insmaltare, et le mure in salbato a le spese de dicta fabrica".

Segue una dichiarazione autografa del pittore stesso:

"Visto diligente il lavoro, che per ora val con vostre signorie mi pare, che è pigliando quanto tiene il coro, la cupola con suoi archi, e pilli, senza le capelle laterali e dintro andando al sacramento, fassa, crosera et nichia con le sponde et ciò, che di muro si vede in la capella infino al pavimento e trovatolo circa a 150 pertiche quadre da ornar di pictura con quelle istorie mi sarà dicte, che imitano e il vivo, o il bronzo, o il marmo secondo richiede ai suoi lochi e

il dovere della fabrica, et le ragioni e vaghezza di essa pictura e ciò a mie spese di 100 ducati de oro in fogli et de colori et de calcina smaltata che sarà quello dove io pingerò sopra non si potrà con l'onore et dil loco e nostro fare per manco de ducati 1200 de oro e con il comodo de queste cose". (Si veda anche 1523, 1526, 1530 e 1551).

1523. Il 26 gennaio presenzia all'atto di divisione dei beni tra sua moglie e lo zio di lei, avvenuto a Correggio [Pungileoni].

In primavera va ad abitare a Parma, presso San Giovanni Evangelista, in borgo Pescara [Id.].

In una 'memoria' (ora dispersa, ma citata dal Tiraboschi [1786]) dell'archivio del monastero parmense di Sant'Antonio risultava che Briseide Colla, ve-

dova di O. Bergonzi, si era impegnata a versare al Correggio quattrocento "lire imperiali" per una pala destinata alla propria cappella gentilizia nella chiesa stessa di Sant'Antonio: si tratta della celebre Madonna di san Gerolamo (n. 70; si veda anche 1528).

Del 23 novembre è un rogito di G. Piazza (ms. nell'archivio della fabbrica del Duomo di Parma), nel quale si dànno disposizioni perché si riparino i piloni e si appresti la cupola del Duomo parmense (scrostandola dei vecchi affreschi e reintonacandola) in vista dei lavori che deve eseguire il Correggio ("... et similiter teneatur ipse mag.r Iorius removere, cum bassis et capitellis, una martellina incrustationem quae est ab intus dictam cubalam supra, ad hoc ut possit fieri serbatura de

novo dicte cubulle ac pontibus ligneis de presenti existentibus ad dictam cubullam supra et dictam serbaturam novam similiter facere teneatur ipse mag.r Iorius, dantibus tamen calcem ipsis dd. Fabriceriis pro dicta smaltatura fienda a dictis pontibus supra").

1524. Si suppone che gli venisse commissionata la Madonna della scodella (n. 76), poiché risulta che C. Bandini lascia in testamento quindici lire imperiali per la pala dell'altare di San Giuseppe nella chiesa parmense del Santo Sepolcro [Pungileoni] (si veda anche 1530).

Il 6 dicembre gli nasce, in Parma, la figlia Francesca Letizia.

1525. È testimone in un atto (15 febbraio) del notaio G. Porta, alla presenza di Manfredo, signore di Correggio [Pungileoni].

Il 18 febbraio chiede un esame, da parte di testi degni di fede, sulle capacità di disporre dello zio F. Ormani, defunto, che gli aveva fatto la nota donazione (si veda 1519). Lo stesso giorno testimonia egli stesso per l'omicidio di un A. Brunorio [Id.].

In data 26 agosto è chiamato con altri quindici artisti, tra cui l'Araldi e l'Anselmi, a dare il parere sui restauri da eseguirsi alla chiesa parmense della Steccata (il documento si conserva nell'archivio della Steccata stessa).

1526. Il 24 settembre gli nasce, a Parma, la figlia Caterina Lucrezia.

Il 29 novembre, eseguito il "primo quarto" del lavoro assunto in Duomo (si veda 1522), con rogito di G. Piazza [Affò, 1796] gli vengono pagati 76 dei 245 ducati pattuiti ("... ducatos septuaginta sex auri et in auro, et solidoram tredicim imperialium pro completa solutione Ducatorum ducentum septuaginta quinque auri et in auro etc. pro prima paga seu primo quarterio mercedis picture Capelle magne et Cube Ecclesie maioris Parme, quam picturam ipse Dominus Antonius promisit facere, et quae tota merces est de Ducatis millocentum auri et in auro larghis").

1527. Il 3 ottobre gli nasce un'altra figlia, Anna Geria.

Lo stesso mese, per intromissione di Manfredo, signore di

Presunte effigi del Correggio. (In alto, da sinistra) Incisione dell'Ottaviani (1780), dichiarata attinta in un disegno di C. G. Ratti derivante da un dipinto ascritto a D. Dossi; la stessa fonte risulta utilizzata in stampe analoghe da G. B. Dessori per illustrare l'opera del Mengs, pure edita nel 1780, da V. Rolla (1830 c.) e dal Farinati (id.). Incisione di F. Rosaspina (1801) da fonte sconosciuta. - (Al centro) Particolare della silografia pubblicata nelle Vite del Vasari edite a Bologna nel 1647. Incisione di G. Rocca (in Pungileoni [1817]), dichiarata derivante da un dipinto di D. Dossi. Incisione di G. J. Sandrart (1675). - (In basso) Altra versione della silografia suddetta, inserita nelle Vite vasariane pubblicate a Siena nel 1791-94. Stampa incisa da F. G. Ravenet (1783). Disegno di C. Maratta (Vienna, Albertina), riprodotto da vari incisori nel corso del sec. XVIII.

Correggio, ha fine la contesa per la donazione ricevuta nel 1519, e gli Ormani cedono all'Allegri alcune terre, con atto del notaio T. Parma [Pungileoni].

Il 26 dicembre muore il suo zio paterno Lorenzo Allegri, pittore [Id.].

1528. Del 20 e 22 marzo sono due rogiti di transazione in una lite con G. Mazzoli circa i beni della moglie del pittore [Pungileoni].

La data del 3 settembre risulta su una lettera (Mantova, Archivio Gonzaga) di Veronica Gambara, vedova del signore di Correggio, a Isabella d'Este; nella missiva si fanno grandi lodi di una *Maddalena nel deserto* che "il nostro Mr. Antonio Allegri ha hor hora terminato" (si veda n. 92).

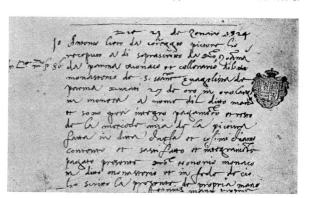

Saldo (23 gennaio 1524) autografo del maestro per i dipinti in San Giovanni Evangelista di Parma (Parma, Biblioteca Palatina).

Entro l'anno Briseide Colla (si veda 1523) colloca nella propria cappella la *Madonna di san Gerolamo* (n. 70), versando al pittore, oltre al compenso convenuto, due carri di fascine, alcune staia di grano e un maiale [Id.].

1529. Notizie non accertabili riferirebbero a quest'anno la morte della moglie del pittore (che comunque risulta in vita nel marzo 1528).

1530. Il 17 novembre l'Allegri viene pagato per il "secondo termine", cioè il secondo quarto, del lavoro convenuto in Duomo. Nel relativo documento — noto per una copia del 1685 (Parma, Galleria) — si legge fra l'altro: "1530 in pagamento ossia mandato di scudi 175 d'oro spedito dalli Signori Fabbricieri di questa Cattedrale al celeberrimo Pittore Antonio de Corrigia per resto del secondo termine del prezzo convenuto per la pittura della cuppola di questa Cattedrale".

Il 29 novembre acquista un podere a Correggio, con atto pubblico del notaio N. Donati [Pungileoni].

Entro l'anno viene inaugurata la cappella Pratoneri in San Prospero di Reggio Emilia (si veda 1522), con la *Notte* del Correggio (n. 75): risulta dall'iscrizione sul pilastro di destra della cappella stessa. La data 1530 si legge inoltre sulla cornice originaria della *Madonna della scodella* (n. 76; si veda anche 1524), quale probabile anno di consegna del dipinto.

Al 1530 è anche da riferire — stando al Pungileoni, che dichiara d'avere letto la notizia in un documento (ora irreperibile) dell'archivio Gonzaga di Mantova — un pagamento all'Allegri da parte di Federico II Gonzaga, probabilmente da collegarsi alla serie degli 'Amori di Giove' (n. 77-80) richiesta dal duca.

Si può supporre che d'ora in poi il maestro viva stabilmente a Correggio, forse dopo avere abbandonato il lavoro nel Duomo parmense (si veda 1551).

1532. È presente all'atto, steso in dicembre, con cui Manfredo, signore di Correggio, nomina procuratore P. Brunorio per ottenere una nuova investitura dei suoi fondi da Carlo V [Pungileoni].

1533. Il 7 e il 15 gennaio è testimone alla pubblicazione di due atti notarili in Correggio.

A settembre compera altri terreni nella città natale [Pungileoni].

1534. Il 24 gennaio presenzia alla stipulazione dell'atto dotale per Chiara da Correggio, primogenita di Veronica Gambara [Pungileoni].

Il 5 marzo muore a Correggio, e il giorno dopo viene sepolto nella chiesa di San Francesco: con una cerimonia piuttosto modesta, a giudicare dalle spese annotate nel *Necrologio* della chiesa stessa. Da un rogito del notaio A. Bottoni in data 15 giugno [in Pungileoni], si apprende che il maestro era morto "per un malore impreveduto".

Col rogito testé menzionato, il padre dell'artista restituiva al fattore del dottor A. Panciroli di Reggio Emilia venticinque scudi aurei, anticipati per una pala da collocarsi su un altare del Sant'Agostino in quella città, pala che alla scomparsa del Correggio era appena iniziata.

Del 12 settembre è una lettera del duca Federico II (Mantova, Archivio Gonzaga) al governatore di Parma, nella quale si dice che "Antonio da Correza Pictore ne lavorava in molte cose, et sempre havea cinquanta ducati del mio nelle mani", e si chiede che vengano consegnati al mittente almeno i cartoni per gli 'Amori di Giove' (forse, una nuova serie, sulla quale si veda ai n. 85 e 94) e le tele principiate per incarico suo. Il 17 dello stesso mese l'interpellato risponde che tutti i cartoni e le altre "robe" del maestro si trovano a Correggio: il duca si rivolga perciò agli eredi, che dovrebbero essere in grado di provvedere alla restituzione, avendo "buona facoltà" (essendo cioè in

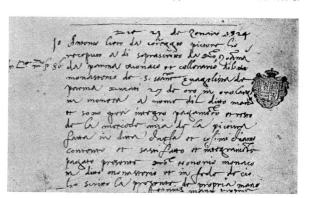

Dichiarazione autografa del Correggio nel contratto (3 settembre 1522) per gli affreschi nel Duomo di Parma (Parma, Archivio Notarile).

floride condizioni finanziarie). Del 17 ottobre data una nuova missiva del duca di Mantova a proposito dei "cartoni di pictura, che mi faceva fare al s. Ant. da Corezza", per accertare se non si trovino "in casa del Cavagliere de la Rosa". Pochi giorni dopo (24 ottobre) il governatore di Parma risponde che anche il cavaliere della Rosa ignora dove si trovino i cartoni.

1551. Dal *Liber debitorum et creditorum* della fabbrica del Duomo di Parma, gli eredi del Correggio risultano tuttora debitori di parte della somma ottenuta dal maestro, relativa a una zona degli affreschi che questi non aveva eseguito, contravvenendo all'impegno assunto ("Heredes quondam magistri Antonii pictoris de Corrigia. Debent dare libras centum quadraginta imper. quas ipse vivens habuit de pluri. Cum obierit opere imperfecto cube ecclesiae majoris parmensis ut constat in instrumento rogato per d. Stephanum Dodum die 14 [?] novembris 1522").

Catalogo delle opere

Elenco cronologico e iconografico di tutti i dipinti del Correggio o a lui attribuiti

A voler cercare quali poterono essere le tappe della esperienza del Correggio, nato — dunque — nel 1489 (si veda *Documentazione*), nella cultura emiliana più prossima, non si può fare a meno di individuare un duplice filone, quindi una diversa ideologia e tradizione, che si contrappongono già, chiaramente, nel primo decennio del sec. XVI, e ancora più nel decennio ulteriore. Da un lato, la cultura del così detto classicismo bolognese, in particolare quella del Francia, dopo una feconda esperienza ferrarese e quindi belliniana convertitosi a una formalistica traduzione del Perugino, e riprove di questa esperienza possono essere pale come l'*Annunciazione e quattro santi* della Pinacoteca di Bologna, datata 1500, oppure gli affreschi, del 1505-06 circa, nella cappella di Santa Cecilia presso San Giacomo Maggiore a Bologna. Altro rappresentante di questa ricerca, Lorenzo Costa, ferrarese, formatosi soprattutto sul concittadino Ercole de' Roberti, anch'egli divenuto un raffinato descrittore di storia, un grafico sottile, come nella *Circoncisione* del 1502, già a Berlino, o, ancora, come nelle pitture del medesimo oratorio di Santa Cecilia a Bologna, che datano al tempo stesso delle opere del Francia. Era quindi una cultura, legata certamente al mondo classico, ma mediato attraverso formalismi di tarda esportazione tosco-umbra, che nonostante la sua diffusione non offriva più sbocchi. D'altro canto nel primo decennio un altro pittore, il cui percorso è ormai sostanzialmente ben noto, Amico Aspertini, viene elaborando un modo di raccontare differente, come nella pala del 1504 circa alla Pinacoteca di Bologna, una *Natività con sei santi e due donatori*, o nell'*Adorazione dei pastori* di Berlino; un modo di raccontare dove l'esperienza dell'antico (e lo testimonia il taccuino del British Museum, con la sua ricchissima antologia grafica classica) viene immessa in un contesto nuovo, usando spesso, per l'impianto prospettico, per il particolarismo del racconto, per la sottile grana dei pigmenti, esperienze diverse, della grafica da Schongauer in avanti, da una parte, e, dall'altra, della pittura fiamminga, le cui presenze nel Settentrione italiano si facevano sempre più fitte alla fine del sec. XV. Questo modo nuovo di intendere il reale e di narrarlo si contrapponeva, ma neppure forse in maniera determinante, alla terza grande corrente culturale, quella dell'ultimo Mantegna, del Mantegna epico (e teatrale) dei *Trionfi* di Hampton Court, del *Trionfo di Scipione* alla National Gallery di Londra, degli ultimi grandi impegni narrativi: un altro modo di accostarsi all'antico, di intenderlo, ma anche (e certo più esattamente che nell'Aspertini) di citarlo. Altri personaggi di questa cultura in elaborazione sono il giovane Garofalo, la cui prima cronologia si mantiene entro il primo decennio del sec. XVI, e il Mazzolino, i cui inizi sono in pratica contemporanei.

È in questo clima e dinanzi a questa situazione culturale che il Correggio opera le sue scelte, recandosi, probabilmente circa a diciassette anni, forse in tempo ancora per conoscere il Mantegna (che muore nel 1506), a Mantova, a lavorare nella più famosa bottega al Nord, una vera e propria 'scuola', dove l'antico è un mito e un modello. Dalle sue prime opere, che sono con ogni probabilità databili verso il 1507, e cioè dalla decorazione a fresco nella cappella funebre del Mantegna a Sant'Andrea, di cui qui gli si attribuisce anche la cupola a tralci e nastri intrecciati, e dall'affresco conservato alla Galleria Estense di Modena, probabilmente coevo, si verifica che la cultura del giovane è nettamente orientata contro l'accademismo bolognese (ora mantovano, dato che il Costa era divenuto, appunto dal 1506, pittore di corte a Mantova), e attento piuttosto a esperienze diverse: in primo luogo a una rielaborazione, in chiave tonale, della tarda esperienza del Mantegna, rielaborazione alla quale aveva forse potuto orientarlo o un viaggio nel Veneto alla ricerca dell'ultimo, altissimo Bellini e di Giorgione, oppure lo stesso ferrarese Garofalo, sodale, appunto, di Giorgione e i cui scambi con quest'ultimo sono già stati puntualizzati. Comunque, sia gli *Evangelisti* sia la volta della cappella del Mantegna testimoniano una precisa scelta e un orientamento di cultura che le opere ulteriori non faranno che approfondire nei loro due aspetti basilari: da un lato, un formale omaggio al Mantegna; dall'altro, lo sviluppo di una diversa cultura, attenta appunto a quel nuovo senso del naturale che si scorge nel Garofalo e che prima era di Giorgione, a una esperienza del mondo che è perenne trasformazione, e che, filosoficamente, non può non collegarsi alla ricerca su Plotino. La *Madonna* Barrymore di Londra, per esempio, o quella di Filadelfia o, ancora, la *Madonna e cherubi* degli Uffizi e le *Nozze mistiche di santa Caterina* a Washington mi paiono illustrare tutte questo particolare momento entro il 1510 circa.

Poco dopo, con opere come le *Nozze mistiche* di Detroit o la *Giuditta* di Strasburgo, solo apparentemente collegata al mondo mantegnesco, inizia un rapporto che, nel percorso del Correggio, avrà sul piano formale vario rilievo ma che, certamente, dal lato ideologico dovette avere grande peso: intendo dire la poetica plotinica che, già esperita, ma forse non ancora direttamente, in Giorgione, diventa profonda esperienza culturale attraverso la conoscenza di Leonardo. È questa continuità tra uomo e natura, che del resto appariva chiaramente esplicita nella *Teologia platonica* di Marsilio Ficino, questa perenne possibilità di reciproca trasformazione, di contatto tra esseri animati e uomo, tra uomo e paesaggio, a spiegare le scelte, solo apparentemente formali, del Correggio; e spiega anche quel suo sottile non voler esprimere i sentimenti, altro elemento della poetica leonardesca, quel suo voler costruire una situazione inserendo le figure in un contesto di per sé narrativo, come nella *Natività* di Brera che, pur con qualche ricordo forse anche düreriano, andrà datata verso il 1512 e non oltre, e inserita in questo particolare momento di elaborazione da un lato del paesaggio ferrarese-veneto del Garofalo, dall'altro nella tradizione del sottile discorso dell'Aspertini, che peraltro pare legato anch'esso, si diceva, all'arte tedesca. Un momento ulteriore di approfondimento di questa ricerca documentano — intorno al 1514 — i due affreschi o, meglio, il completamento della *Sacra Famiglia* e la sinopia, e il fresco intero della *Deposizione*, nell'atrio di Sant'Andrea a Mantova, dove il Correggio sembra mostrare, specie nella sinopia della *Deposizione*, un interesse preciso per la cultura veneta del tardo Bellini oltreché l'elaborazione di quella poetica leonardesca di cui già si è parlato. La cronologia sul 1514 appare coerente con i tempi della *Madonna del san Francesco* e col suo modo stilistico: accanto alle citazioni dal Costa o dal Francia che vi si sono volute scorgere, si deve intendere che il Correggio da un lato ha probabilmente già veduto la pala di San Sisto di Raffaello, dall'altro e soprattutto ha visitato Venezia, e inteso il profondo senso della pala di San Giovanni Crisostomo (1513) di Giovanni Bellini, col gran santo immerso nella luce alto contro il paese, o l'anteriore (1505) pala per San Zaccaria o l'*Assunta* di Murano, oltre che, forse, la giorgionesca pala di Castelfranco. È chiaro dunque che appare distante e privo di significato ogni riferimento eventuale al Mantegna: un mondo ormai, per l'Allegri, perento. E che Giorgione da un lato e il più sottile Garofalo, e forse il giovanissimo Dosso (se pure, nel 1515, se ne possono scorgere gli inizi) siano le componenti particolari dell'esperienza correggesca in questo momento mostra bene la *Sacra Famiglia* Orombelli, la *Madonna col Bambino* in proprietà privata svizzera, la *Sacra Famiglia* del Museo civico Malaspina. Ancora forse del 1515, oppure del 1516, potrà essere il *San Giovanni Evangelista* in proprietà privata bolognese, dove il rapporto con Leonardo è evidente persino nella sospesa espressione, nel trascolorare dei toni, nel definirsi della forma. Certo però, anche quando, in questo stesso anno forse, egli dipinge la *Madonna col Bambino e san Giovannino* del Prado, di cui più volte sono stati rilevati i nessi col mondo leonardesco, il Correggio mostra di essere al corrente anche di altri fatti, soprattutto dell'impianto formale delle *Madonne* raffaellesche, specie quelle del 1505-10 circa. Lo stesso discorso rimane da farsi per la considerevole *Sacra Famiglia* di Boston, databile intorno al 1516, o per la *Madonna col Bambino* del Kunsthistorisches Museum di Vienna; mentre nel *Presepio* già a Roma (presso padre Rossi) temi garofaleschi e aspertiniani si trovano riuniti. Ma che l'accento batta sulla grande invenzione di Leonardo, sul rapporto tra umano e naturale, su quella continuità di germinazione che si manifesta fisicamente nell'inserimento delle figure entro il tessuto denso della natura e, ideologicamente, si rappresenta con l'illuminazione come dall'interno che le figure raggiungono (la luce è simbolica della vicinanza a Dio), si vede tanto nel *Sant'Antonio abate* di Napoli (1516-17) quanto nell'importantissima pala dei *Quattro santi* del Metropolitan, nella quale solo in apparenza sarà da vedere un rapporto con la cultura raffaellesca della *Santa Cecilia*; e una grande conferma di questo orientamento (ripeto, a livello filosofico la ideologia di Giorgione e quella di Leonardo — la plotinica — sono uguali) si avverte ancora nello splendido *San Gerolamo* dell'Academia de San Fernando a Madrid, il teschio appena baluginante contro le dense tessiture del fondo, la carne sfatta nella luce. Che il Correggio poi dovesse conoscere bene non solo la cultura del maestro, di Leonardo, ma anche dei seguaci, risulta dalla *Sacra Famiglia* di Orléans, dove troviamo motivi dal De Predis al Luini a Cesare da Sesto, e anche, naturalmente, temi compositivi assunti coscientemente da Raffaello attorno al 1508-10 (*Madonna* Niccolini Cowper a Washington e *Madonna* Tempi a Monaco, ambedue del 1508), immersi però in un modo pittorico lombardo. Analogo discorso per la *Madonna col Bambino e san Giovannino* del Castello di Milano (saremo pur sempre intorno al 1517), per il bellissimo *Cristo giovane* a Washington (ove però abbiamo elementi di cultura manieristica, su cui ci soffermeremo più avanti), per la notevole e di recente acquisita *Madonna col Bambino e san Giovannino* dell'Art Institute di Chicago.

Appare possibile che verso il 1517 l'Allegri, da solo o magari forse in compagnia dell'Anselmi, un pittore senese educato alla scuola del Beccafumi, poi migrato in Emilia e presente — parrebbe [Affò] — a Parma nel 1516, abbia compiuto un viaggio toscano, preludio al non lontano viaggio a Roma, esperendo da un lato la cultura di Andrea del Sarto, dall'altro quella del senese Beccafumi del tempo primo, entro il 1515-16: ad esempio, per quest'ultimo artista, la *Sacra Famiglia* di Pesaro, le *Stimmate di santa Caterina*, la *Sacra Famiglia* di Monaco, la pala con *San Paolo in trono* di Siena, per citare solo poche opere. Questa esperienza comincia già a intravedersi nelle torsioni della *Pietà* delle Courtauld Institute Galleries, e anche nella *Zingarella* di Napoli, dove però il tessuto leonardesco è in grande evidenza, e, ancora, nel *Riposo in Egitto* degli Uffizi, dove si hanno anche nessi col primo Andrea del Sarto, quello del *"Noli me tangere"* degli Uffizi, oltreché con la citata *Sacra Famiglia* di Pesaro del Beccafumi. Di questi tempi — 1517 circa — sarà anche la *Madonna* dell'Estense, coi toni cangianti e le forme sdutte; e dello stesso momento deve essere il *Commiato di Cristo dalla madre* nella National Gallery di Londra, i cui nessi formali con l'*Adorazione* di Brera appaiono assai stretti. Di quest'ultima, che sarà ormai da spostare al 1517-18, poco avanti il viaggio a Roma, tenuti anche presenti gli elementi beccafumiani e anselmeschi rilevabili nei disegni preparatori, si deve sottolineare, da un lato, appunto la stretta parentela con la ricerca del manierista senese, dall'altro la duplicazione dell'impianto prospettico che ribalta le figure di destra e introduce un tempo 'lungo' nella composizione. Ancora a questo momento, di tangenza massima con la Maniera, appartiene la pala con *Sant'Elena e quattro santi* in collezione privata a Brescia, dove il Correggio sembra avere inteso a fondo il bruciar della luce nel paesaggio di tanti dipinti del Beccafumi, il cangiare dei colori, il piegarsi delle forme a un ritmo che è ben lontano ormai dall'accademico grafismo del Costa e del Francia. Allo stesso tempo, nel quale forse si riscontrano anche le prime tangenze col Dosso giovanissimo, appartengono pure le *Nozze mistiche di santa Caterina* a Napoli (1518 c.) e il *"Noli me tangere"* del Prado, oltreché la *Sacra Famiglia con san Gerolamo* di Hampton Court; e chiari dovevano essere gli elementi senesi, più delle citazioni dal Costa, nella perduta *Madonna di Albinea* (1518 c.), almeno a quanto possiamo giudicare dalle copie pervenute.

Si pone a questo punto, nel percorso del Correggio, il viaggio a Roma; i cui tempi sono stati indicati dalla critica, con buona probabilità, tra la primavera e la fine dell'anno 1518, essendo il pittore in patria, documentatamente, nel successivo gennaio del '19. Il problema di ciò che il Correggio dovette vedere in Roma si risolve tenendo conto delle opere dipinte immediatamente dopo il ritorno: precisamente i due grandi cicli parmensi della Camera della badessa in San Paolo e di San Giovanni Evangelista. Prima di esaminarli, brevemente rammenterò un ritratto, quello supposto di Veronica Gambara, all'Ermitage di Leningrado, dipinto probabilmente al ritorno da Roma, e opera di una cultura conscia da un lato di Raffaello, dall'altro anche di Sebastiano del Piombo. Ma è in San Paolo che il Correggio mostra di aver inteso l'umanesimo romano: la concezione unitaria, vera e propria simbolica rappresentazione [Panofsky] dei tre 'specula': *naturale, doctrinale, morale*, che significa coscienza del senso organico della Stanza della Segnatura di Raffaello, si apparenta a una ricostruzione attenta delle tangenze più sottilmente venete dello stesso Raffaello, all'individuazione, ancora, nel basamento del *Parnaso* e nei putti accoppiati nella *Virtù*, degli elementi meno narrativi del suo discorso. Il Correggio, è chiaro, cerca di riscoprire in Roma le stesse esperienze dalle quali era mosso al Settentrione; d'altro canto, se nella Camera della badessa il problema era per lui di un complesso discorso simbolico fatto su misura per l'umanesimo sottile della cerchia di Giorgio Anselmi, le ricerche compiute a Roma dovevano offrirgli ben altri suggerimenti quando, neppure qualche mese dopo la pittura a fresco in San Paolo (operata nel 1519), dovette dedicarsi (siamo agli inizi del 1520) alla cupola e al progetto di decorazione generale di San Giovanni. Mentre a San Paolo era bastata qualche sparsa citazione michelangiolesca, niente più che iconografica, nei bucrani sotto le lunette a sottile monocromo, a San Giovanni l'immenso spazio da decorare gli imponeva una ricapitolazione in primo luogo della cupola raffaellesca della cappella Chigi, la cui struttura, senza dubbio, viene ripetuta nella cupola della chiesa parmense; quindi il mondo stesso di Michelangelo, degli ignudi della volta sistina, dell'*Adamo*, dell'*Eterno* che lo crea, i quali, come mostrano anche i disegni, sono spesso ripresi, magari *en reverse*, nella cupola di San Giovanni. Ma, al di là di questo, il Correggio deve inventare un intero sistema narrativo, ed è qui forse il punto di maggior stacco della ricerca anteriore di Raffaello; se questi infatti aveva riscoperto (come ho altrove dimostrato) le 'vite' parallele di Plutarco, secondo un sistema di racconto (gli antichi come i moderni) che sarà ripreso dal Vasari, il Correggio, fedele alla cultura plotiniana, trasforma il momento della visione del San Giovanni morente sull'isola di Patmos, il cercine degli Apostoli sospesi sul suo capo, il Cristo che scende dall'alto entro un cilindrico trascolorare di cherubi, in un discorso sulla storia e sull'uomo: la lunetta con san Giovanni Evangelista giovane, sopra l'ingresso al convento, infatti, è il primo, ideale momento di questo sospeso racconto, cui doveva star di fronte, come è noto, il catino absidale con l'*Incoronazione della Vergine*, di cui rimangono soltanto la parte mediana e qualche frammento; un diretto dialogo si stabiliva insomma tra questa coppia di figure e quella di Giovanni subito sopra il cornicione, un dialogo tenuto anche al rigoroso modulo a cerchi proporzionali che il Correggio assume dal gigantismo della Sistina, modulo che è ritmo e che, nella stesura pittorica, si trasforma in sensibilità estrema di puro luminoso. Infatti, se un elemento risulta evidente in questa cupola grandiosa, è proprio la capacità di rovesciare quella che era la forma definita, ritagliata, di Michelangelo in un controluce soffice e altissimo, in un controluce che ha dentro tutte le esperienze anteriori dell'

artista e prospetta le nuove. La storia, per il Correggio, diviene storia interna, di un personaggio, tempo di un personaggio (qui, san Giovanni), appunto le "tre età", appunto il plotinico continuare del naturale nell'uomo che aveva appreso da Leonardo. E in questo tempo che, dinanzi all'immenso lavoro in San Giovanni Evangelista, il Correggio impianta una bottega di esecutori: il Rondani, educato anche alle stampe tedesche e più rigido esecutore, e l'Anselmi, collaboratore un tempo, sottile maestro, si è detto; a loro affida l'esecuzione del fregio lungo la navata (salvo la sezione di un campo), e in parte del presbiterio, mentre le crociere della navata stessa sono dell'Anselmi e quelle del presbiterio in parte del Rondani; a loro affida la cappella Del Bono, riservandosi di dipingere invece i due quadri per le pareti. E questi dipinti segnano — dopo alcuni omaggi ancora raffaelleschi, come la *Madonna* di Francoforte (forse del 1522) e la grande *Madonna della Scala*, connessa strettamente al tempo del San Giovanni —, questi dipinti segnano, dicevo, un momento di ritorno alla Maniera, ritorno che dal 1523 circa andrà fino al '26, alla grandissima pala del San Sebastiano ora a Dresda, dove sembra che tutte le combustioni del Beccafumi siano state assunte, con le quasi fluorescenti stesure dei corpi, in un'architettura di figure di qualità estrema. La cronologia, ripeto, non presenta a questo punto molte incertezze: *Deposizione* e *Martirio* ora nella Galleria di Parma spettano al 1524-26, così l'*"Ecce Homo"* di Londra, così il *Cristo morto* già Coccapani, così, magari alla fine del biennio, l'*Annunciazione* pure nella Galleria di Parma; mentre del 1525 devono essere il finissimo ritratto, forse di Francesco I, a Milano, e la *Madonna adorante* degli Uffizi, così legata agli snodi tipici della Maniera senese. Qualche altra *Madonna*, come quella di Budapest, quella *della cesta* nella National Gallery, si riferisce pure a questo periodo, non immemore dell'esperienza anche dell'Anselmi sempre attivo a Parma, e, magari, per la *Madonna della cesta*, del Parmigianino. Appena un po' dopo, 1526 o '27, seguono le *Nozze mistiche di santa Caterina* al Louvre e, 1528 circa, in vicinanza con la *Notte* di Dresda, l'*Orazione nell'orto* del Victoria and Albert Museum.
Il Correggio ormai, che dal 1526 al '30 affresca la cupola del Duomo di Parma, si pone altri temi e compie altre esperienze: probabilmente conosce la pittura del Tiziano degli anni tra il 1518 e il '22, come mostrano bene alcune pale dipinte alla fine del secondo decennio del secolo, e per la gran cupola del Duomo, con gravi problemi spaziali da risolvere, affronta un tema di lume universale, partendo forse dal ricordo della cupola spalancata sul cantiere di San Pietro a Roma. Basti ricordare, qui, soltanto l'idea di rompere l'assialità centrica dell'Ascensione della Madonna, infittita entro i gruppi degli angeli, i cercini sovrapposti di nuvole e putti, gli Apostoli alla balaustra che coinvolgono lo spettatore nella scena immaginandosi al basso aperto il sarcofago della Vergine: un modo nuovo, ancora, per chiamare all'interno della narra-

zione il riguardante, un modo nuovo per dichiarare la continuità del naturale-reale col dipinto e per esprimere plotinicamente nella luce la divinità del rappresentato.
Sono in questo clima culturale la *Madonna del san Gerolamo* alla Galleria di Parma (1527-28), con nette tangenze venete; la ripresa, forse sul 1528, dell'*Educazione di Amore* nella National Gallery di Londra e del *Giove e Antiope* al Louvre, con chiari nessi col Giulio Romano di Mantova; la coppia di tele del 1529 a Capodimonte con *San Giuseppe* e un *Devoto*; il *Ritratto Fareham* (1528-29); la grandissima *Notte* di Dresda, a fine decennio, e con chiari ricordi del tizianesco polittico Averòldi, ma rovesciati ormai, come senso, da lume naturalistico in Tiziano in luce ideologica (ha luce chi è prossimo al divino, suggerivano i neoplatonici); la *Madonna della scodella* della Nazionale di Parma (del 1530); la *Madonna del san Giorgio* di Dresda, dove si avverte (verso il 1531-32) la conoscenza della Maniera parmigianinesca.
Viene quindi una serie, databile probabilmente al 1531 circa, che doveva farsi per la coronazione di Carlo V in Bologna del 1530, commissionata dal Gonzaga, che comprende *Danae, Leda, Io* e *Ganimede*, ciclo che è come la finale conferma del grande interesse plotinico del Correggio: questa geniale narrazione del rapporto tra animali e umani, questa ripresa, in più sottile stesura, della continuità leonardesca tra inanimati e umani. Degli stessi tempi, la *Santa Caterina* di Hampton Court, e, più tardi, ormai del 1533-34, le *Allegorie* del Vizio e della Virtù, per lo studiolo di Isabella, architettate con estrema cura e forse un po' fredde rispetto al bozzetto splendido, forse per il cupolino dell'ultima serie, mai realizzata, degli 'Amori di Giove', conservato a Chatsworth, dove l'idea del San Giovanni si trasforma in una colante tessitura luminosa delle figure, come nei più trascoloranti brani della cupola del Duomo. Un sogno luminoso dal quale Tiziano, certamente, doveva molto assumere nel suo periodo più avanzato. E quindi, e come è noto, l'intera cultura barocca.

Affreschi in Sant'Andrea a Mantova

Si tratta di opere nella cappella funebre del Mantegna (cm. 530 [asse longitudinale] × 420 [asse trasverso]), non ancora terminata di decorare alla morte del maestro. Si sa che alla stesura del ciclo attendevano i figli del Mantegna stesso: il problema, nel caso presente, consiste nel distinguere la loro mano da quella del giovane Correggio.

1 ⊞ ⊕ *1507* ▤ :

I QUATTRO EVANGELISTI.
Già nel 1613 il Donesmondi, parlando della cappella, scrive: "Ivi anco dipinse Antonio da Correggio negli angoli della cuba i quattro Evangelisti, e sopra la finestra dell'altare alcuni Angioli di chiaroscuro, che sostengono uno scudetto, ricevendo il lume del sotto in su, che paiono

appunto di rilievo". Gli angioli (si veda tra le *Opere perdute*, n. 86) sono stati distrutti in seguito, come attesta nel 1763 il Cadioli, distrutti appunto per ingrandire la finestra ancora esistente. Quanto al tipo di illuminazione dal basso, il Correggio non faceva evidentemente che riprendere uno stilema della scuola mantegnesca (cfr., per esempio, *Sansone e Dalila* nella National Gallery di Londra o la *Tucia* e la *Sofonisba* della medesima istituzione, tutte opere tarde del maestro). Se dunque questi monocromi avranno avuto anche rapporto con altre opere, anch'esse tarde, del Mantegna, è da pensare soprattutto allo splendido *Trionfo di Scipione* (ibid.), dove il tessuto plastico mantegnesco, la struttura netta e tesa dell'impasto pittorico del tempo della Camera degli Sposi viene mutandosi in un discorso diverso, in un grande

omaggio alla narrazione continua della plastica tardoantica, ma con una sensibilità per la tessitura luminosa che non può non far pensare a qualche scambio (al di là della parentela) con la bottega dei Bellini. In questa cultura evidentemente, piuttosto che in quella modenese dal Bonascia al Bianchi Ferrari, dobbiamo cogliere l'esperienza formativa del Correggio e i parametri per una lettura di queste opere, il cui riconoscimento primo all'emiliano è merito di A. Venturi [1915], proponendo un riferimento cronologico al 1507 circa, data che, se veritiera (si potrebbe anche pensare all'anno precedente), permetterebbe una ricostruzione assai articolata degli inizi correggeschi da questi tempi, appunto, alla *Madonna di Albinea*, che è fra il 1517 e il '19 (si veda n. 41). L'indicazione del Venturi fu seguita dal Ricci, che fra gli elementi

1 A

1 B

1 C

1 D

2

mantegneschi individua anche il leggio (come nel mantegnesco polittico di Santa Giustina a Brera) e, quanto alla data, pensa agli anni 1512-13 che, come vedremo, sono troppo avanzati. Fra gli studiosi più recenti, il Bianconi pone queste opere fra le attribuite; il Bottari torna ad assegnarle, sia pure con dubbio, al Correggio, ma collegandole alla *Deposizione* e alla *Sacra Famiglia* della chiesa stessa (si veda n. 13), riferendo la volta della cappella al Mantegna.

Le figure degli Evangelisti stanno contro una spalliera di cedro, spalliera che però non chiude il fondo, ma anzi apre contro il cielo; sono figure di tessitura cromatica estremamente sottile, velate a tempera, e, ancora, nonostante i danni e le spliture, di singolare delica-

tezza cromatica. Già da qui è chiaro lo stacco dalla cultura mantegnesca: il Correggio evidentemente si interessa non all'evocazione storicistica del grande padovano, bensì intende narrare, e invece di fissare le espressioni delle figure secondo i tipi, coglie i personaggi in atteggiamenti diversi e colloquiali, come Marco [A], che si carezza la barba mentre legge il proprio Vangelo; Matteo [B], intento a discorrere con l'angelo; Giovanni [C], che sfoglia il libro; Luca [D], infine, col turbante, dietro un naturalistico bove. Non è difficile intendere che già ora il Correggio deve aver saputo valutare la presenza mantovana di Lorenzo Costa, ma non certamente del Costa convertito all'accademia post-peruginesca, ma piuttosto quello anteriore, legato alla pittura di Ercole de' Roberti a Bologna, oltre a quella del giovane Garofalo. La cultura del Correggio è dunque fin da ora assai complessa e ricca di fermenti e, comunque, non confondibile con la stanca elaborazione mantegnesca dei figli del grande artista appena scomparso.

2   ▦ ⊕ ——— *1507* 目 ⦙

STEMMI E MOTIVI VEGETALI.

Probabilmente la presenza al centro della volta dello stemma del Mantegna ha vincolato l'attribuzione; eppure basta un semplice esame stilistico per intendere la distanza di questa splendida invenzione pittorica (e narrativa) dalla cultura mantegnesca. Lontano, naturalmente, il ricordo anche della copertura della Camera degli Sposi, lontana dall'idea teatrale dell'architettura teatrale della *Madonna della Vittoria* (Parigi, Louvre), il Correggio pensa un intreccio vimineo pressoché identico a quello della Camera di San Paolo con inseriti fiori, mentre le ghirlande architettonicamente si adattano a U, aderendo al cerchio plastico che forma l'occhio del cupolino. Solo in rapporto all'aperto cielo degli *Evangelisti* (n. 1), sopra gli *Evangelisti*, poteva pensarsi questa fitta parete di verzura, e solo dal pennello del Correggio, dalle delicatezze sottili (che possono sì legarsi al Garofalo, ma che hanno una precisa cadenza e ricchezza individue) delle sue tessiture cromatiche, dal suo velar a tempera poteva uscire una tale invenzione. Lo stacco dalle secche geometrie decorative sulle pareti è tale che val la pena di ricordarci ancora delle testimonianze antiche (n. 1), secondo le quali anche la finestra aveva attorno putti operati dal Correggio, e si trattava quindi di una vera e propria concezione unitaria della decorazione evidentemente lasciata dagli eredi del Mantegna *in toto* al giovane esecutore.

3   ▦ ⊕ 112×94 1507*? 目 ⦙

MADONNA COL BAMBINO, FRA I SANTI FRANCESCO E QUIRINO. Modena, Galleria Estense.

In origine si trovava a Correggio, nella chiesa di San Quirino, che nel 1514 doveva essere abbattuta, sicché il dipinto, con il muro retrostante, viene traslocato in Santa Maria della Misericordia, pure a Correggio; nel gennaio del 1787 l'affresco giun-

ge a Modena ed entra nel Palazzo Ducale con autografo dell'Allegri [Della Palude, 1787]; nel 1845 lo si trasferisce su tela. Esiste un problema d'interpretazione del cartiglio in basso a destra, recante un'iscrizione: "ABDNDF/ MCCCCCXI". Nel 1811 il Dall'Olio suggeriva l'interpretazione seguente: "A[ntonio] B[artolotti] D[a] N[ovellara] D[ipintore] F[ece] - MCCCCCXI", pur ammettendo per una collaborazione tra il Bartolotti e il Correggio; altra lettura dà il Pungileoni [1817], mentre il Lanzi [1834] suggerisce il nome di Lorenzo Allegri; nel 1854 il Castellani Tarabini pensa di vedere nell'affresco due mani, delle quali una è del Correggio; nel 1880 il Bigi legge la scritta: "A[ntonio] B[artolotti] D[e] N[ostra] D[evozione] F[acta] - MCCCCCXI", interpretazione seguita, fra gli altri, dal Burckhardt [1885] nonché da A. Venturi [1883] in un primo momento. Ma già nel 1901 lo stesso Venturi assegna l'opera al Correggio e la data 1511, ribadendo poi l'attribuzione [fino al 1926]; concordano nel riferimento al Correggio, fra gli altri, il Gronau [1907] e il Ricci, che nota elementi mantegneschi nella spalliera di cedri e fa confronti (cronologicamente non perfettamente calzanti) con le *Nozze mistiche* Kress (n. 7). Il Pallucchini [1945] assegna pure il fresco al Correggio, suggerendo raffronti con la *Sacra Famiglia* Massari Ricasoli di Voghenza (Ferrara) e sottolineando il particolare biografico che il Correggio era in patria appunto nel gennaio del 1511. Tra coloro che negano l'opera al Correggio sono, di recente, il Bodmer [1943] e il Bianconi.

Nonostante le spliture e i ritocchi, che solo un restauro paziente potrebbe eliminare, mi sembra che il dipinto non possa non spettare al Correggio: intanto per i raffronti palesi e diretti con la cultura degli *Evangelisti* di Mantova (n. 1), per la stessa concezione generale che impianta le figure contro un cielo chiaro dietro una siepe verde coi cedri appesi; poi per quel tornare l'occhio fra i personaggi, si che verrebbe fatto di pensare o a una iscrizione rifatta oppure al permanere dello stesso Correggio dal 1507 circa all'11, e forse oltre, attorno ai temi della cultura del Garofalo.

4   ▦ ⊕ 48×38 *1508-10* 目 ⦙

SANTA CATERINA. Londra, National Gallery.

Già nella collezione Costabili di Ferrara; alla Galleria col lascito Layard. È stata attribuita al Correggio dal Longhi nel 1958; in precedenza era assegnata al Garofalo (cui la mantengono i più recenti cataloghi della National Gallery); la cronologia proposta dallo studioso: "ancora nel primo decennio del secolo"; e infatti, tenendo presente quanto detto alle schede che precedono, non meraviglierà questo contatto anche più esplicito col mondo garofalesco. Certo, abbiamo un taglio nuovo, una tessitura cromatica estremamente raffinata, dei trapassi tonali che appunto fanno pensare a un Garofalo *retour de Venise*; quanto ai raffronti, si può aggiungere, per esempio, la Pala di Valcesura (Ferrara)

nella chiesa di Santa Margherita, dove la santa a destra ha nessi appunto con questa Caterina: la stessa fissità immobile, la stessa delicatezza di trattamento pittorico.

5   ▦ ⊕ 61×48 1508-10* 目 ⦙

MADONNA COL BAMBINO, SANTA ELISABETTA E SAN GIOVANNINO. Filadelfia, Johnson Collection.

Dalla collezione Hohenzollern di Sigmaringen; poi presso il Bohler a Monaco; infine dal 1914 nella sede attuale. La questione della cronologia appare assai dibattuta, mentre l'assegnazione al Correggio non presenta significative opposizioni. Il Gronau [1907] la dà appunto al Correggio verso il 1512-14, manifestamente troppo avanzato; il Venturi [1926], pur non precisando la cronologia, parla del "tipo mantegnesco della Vergine gloriosa a Firenze"; il Ricci [1930] la data, sia pur con punto di domanda, al 1514; nel 1958 il Longhi propone invece di contenerla entro il primo decennio del secolo; per il Bianconi [1960], "intorno al 1512"; infine il Bottari [1961] la vede collegata agli *Evangelisti* di Mantova (n. 1), ma non precisa ulteriormente. Appare chiaro, anzitutto, che questa *Madonna* si collega direttamente a quella Barrymore (n. 11), per cui cade ogni possibile ipotesi di attribuzione al Mantegna, ipotesi anche di recente avanzata: analoga la tessitura pittorica, analogo l'uso di un trascolorante sovrapporsi di toni, che solo apparentemente si collega al Mantegna. Certo, l'Elisabetta costituisce una citazione mantegnesca evidente; ma, se si deve puntare sulle divergenze, sarà invece da sottolineare ancora una volta questa idea, innovativa certamente, e di cultura emiliana forse già toccata da un'esperienza veneta, del paesaggio che apre dietro una spalliera e, ancora, quel dialogo — chiaramente collegabile alla cultura leonardesca — tra Madonna, Bambino e san Giovannino. È proprio questa continuità atmosferica tra figure narranti (nel Mantegna sempre tanto più bloccate nella loro teatrale fissità), spalliera di verzura e paesaggio a farci pensare che il discorso culturale del Correggio vada in questo periodo approfondendosi: saremo probabilmente verso il 1508-10; un'esperienza parallela quindi a quella plotinica che caratterizzano il suo rapporto col mondo leonardesco.

6   ▦ ⊕ 20×16 1508-10* 目 ⦙

MADONNA COL BAMBINO, DUE ANGELI E CHERUBINI. Firenze, Uffizi.

Pervenuta dal 'guardaroba' granducale. Il Morelli [1897], attribuendola al Correggio, pensava fosse stata dipinta "sotto l'influenza del Giorgione, del Tiziano e di Lotto", artisti veduti dall'Allegri direttamente a Venezia. Ora, a parte le evidenti difficoltà cronologiche per quanto riguarda Tiziano e il Lotto, è chiaro che resta da sottolineare l'importanza del riferimento giorgionesco, si voglia pure indiretto. Nel 1907 il Gronau insisteva sulla datazione 1512-14, che evidentemente non permette un chiarimento del percorso dell'artista; il Venturi [1926] coglieva invece nell'angelo col volto in ombra "cicinni

4   [Tav. I]

8

boltraffieschi", il che ci riconduce a quel complesso tessuto di rapporti col mondo leonardesco che, vedremo, mano mano verrà approfondendosi; ma insisteva nel vedere nei putti impossibili, a mio parere, nessi con "le testine trasparenti del Bianchi Ferrari nell'ancona di S. Pietro in Modena", pur riconoscendo che "la loro sostanza è mutata". Nel 1958 il Longhi assegnava anche quest'opera, coerentemente mi sembra, al primo decennio. Il Bianconi la data invece 1512-13; il Bottari infine suggerisce "un contatto col Dosso", che il Correggio avrebbe potuto conoscere a Mantova, e sottolinea che fra le opere giovanili dei due artisti gli scambi sono reciproci e continui. Non sembra peraltro che la tesi Bottari sia accettabile, in quanto i recenti studi tendono a spostare più avanti nel tempo gli inizi del Dosso: si che, volendo a esso collegare la presente tavoletta, la si dovrebbe ulteriormente posticipare, il che appare improbabile, stante la temperie ancora mantegnesca che vi si rileva (*Madonna Trivulzio* di Milano, ecc.). Quanto alle altre componenti, non potremo non rammentare ancora il tramite garofalesco, che può spiegare meglio di ogni altro il ritmico moto del putto, le mani arpeggiate della Madonna e degli angeli, la densità quasi spumosa delle nuvole. Alla Tav. II se ne dà una riproduzione leggermente ingrandita, tale che risulti più leggibile il fare del Correggio.

7   ▦ ⊕ 28×21,5 *1509-10* 目 ⦙

NOZZE MISTICHE DI SANTA CATERINA, CON TRE SANTI. Washington, National Gallery (Kress).

3

5

6   [Tav. II]

Proviene dalla quadreria Costabili di Ferrara, dove era attribuita a Raffaello oppure a fra' Bartolomeo; attorno al 1840 T. Geyser assegna il dipinto al Correggio, attribuzione confermata poi dal Morelli; l'opera è acquistata da G. Frizzoni e, alla sua morte (1919), passa agli eredi, che (1929) la cedono all'ing. Bonomi di Milano; infine, alla Kress (1932) e, dal 1941, alla sede attuale. La storiografia recente, a cominciare dal Venturi [1926], ha notato elementi esteriori come il festone mantegnesco oppure, e con maggiore acutezza, "gli ornati della base alla maniera del Francia"; per il Ricci invece [1930] l'opera presenta ovvi nessi con la cultura mantegnesca nel Bambino, nel festone, nel tipo dello sgabello e nel disco che sovrasta il trono, e inoltre caratteri emiliani di derivazione dal Costa. Il Longhi [1958] situa l'opera entro il primo decennio del secolo, e suggerisce la presenza si sia di elementi mantegneschi, ma già elaborati, pur senza precisare la direzione dell'analisi correggesca. Al di là delle citazioni mantegnesche, il Correggio sembra voler coscientemente evocare un'intera tradizione emiliana: oltre al consueto Garofalo, non possiamo non vedere, per esempio nel santo a sinistra, una chiara eco dei monocromi del Costa, unita a una sottile attenzione per le opere del primo Francia, quelle più ricche di umori suggeriti dal Roberti; la stessa base del trono è costesca nella monocroma glittica, mentre l'intero dialogo, il racconto tra le figure, di un patetismo sottile, è del tutto estraneo all'esperienza del Mantegna. Si notano lievi restauri nel viso del santo a sinistra (Francesco d'Assisi) e in quello della Vergine.

8 ⊞ ✴ 27×20 *1510* ▤ :

GIUDITTA. Strasburgo, Musée des Beaux-Arts.

Se il Gronau, come al solito, la data 1512-14, e se il Venturi nel 1915 ne coglieva, diversamente dal modello mantegnesco, la capacità di resa atmosferica, già nel 1926 lo stesso Venturi la accostava addirittura più "ai tipi del Bianchi Ferrari che ai grandiosi tipi di Andrea". Il Ricci [1930] ulteriormente sminuiva l'opera in ragione della derivazione palese dal Mantegna; quanto al Longhi [1958], la situava entro il primo decennio del secolo, mentre il Bianconi [1960] tende addirittura a negare al Correggio il dipinto. Basta invece guardare questo chiaroscuro sottile, la geniale invenzione di trasparenze di luce, basta vedere lo sviluppo del racconto correggesco, a partire — poniamo — dagli Evangelisti mantovani (n. 1), anteriori di qualche anno, per non avere dubbi, e neppure averne sulle mediazioni venete che, certamente, dovevano avere avuto un preciso significato per il Correggio. Solo che quella che è glittica esattezza, imitatio, una delle figure della 'retorica' letteraria e della comunicazione mantegnesca, qui si trasforma in un intensissimo narrato; la luce dall'interno è un procedimento quasi inconfondibile; una determinante, direi, della poetica plotinica quale viene elaborata da Leonardo e nel suo am-

7

10

bito: dalla Vergine delle rocce (Louvre) i rapporti di luce (e la caverna simbolica del mito platonico) e la continuità naturaumani sono un paradigma ideologico. A questo punto si rifà il Correggio, più che formalmente sul piano culturale, ché i nessi almeno mediati paiono essere col mondo veneto, in particolare di Giorgione.

9 ⊞ ✴ *1510* (?) ▤ °°

MADONNA COL BAMBINO (Madonna del garofano). ... (Lombardia) [?], propr. priv.

Pubblicata dal Longhi [1958], che suggerisce pel Bambino nessi col Francia e col Maineri, e che la data entro il primo decennio del secolo. Concorda pienamente con la cultura della Giuditta (n. 8); direi anzi che proprio la citazione dal Francia (ma come trasformato il gioco ritmico accademico dell'artista in questo putto ricercatamente fuori modulo) e la sottile atmosfera del dipinto ribadiscono i rapporti indicati più sopra. Tangenze garofalesche sono ancora evidenti nella Madonna.

9

11

10 ⊞ ✴ 156×123 1510* ▤ :

NOZZE MISTICHE DI SANTA CATERINA, COI SANTI GIOVANNI BATTISTA, ANNA E GIUSEPPE. Detroit, Institute of Arts.

Da Mantova, il dipinto perviene (1627) a Carlo I d'Inghilterra; poi, nella raccolta del principe Kaunitz a Vienna dal 1783 al 1826; successivamente, nella raccolta Adamovics, e in quella di A. Ritter a Reisinger, a sua volta lo vende (1920) al banchiere C. Castiglioni di Vienna; dalla collezione, in seguito all'asta ad Amsterdam (17 novembre 1925), nella sede attuale. Assegnata al Correggio dal Rumohr, con la data 1512-14, dal Gronau [1907]; A. Venturi [1926] vi nota da un lato elementi costeschi e mantegneschi, dall'altro ritiene di poter individuare una visione diretta, da parte del Correggio, di "opere di Leonardo e della sua scuola", e sottolinea i caratteri vinciani del Battista: il Ricci [1930] avverte che "gli alberi vicini, addensati a sinistra, le frasche, il castello e i monti lontani richiamano al pensiero più Dosso che il Mantegna". Il problema posto dal Ricci è interessante: gli studi recenti e l'ipotesi del Longhi circa la nascita del Dosso verso il 1490 portano a escludere una presenza culturale dell'artista determinante per gli sviluppi del Correggio entro questo primo decennio; comunque l'indicazione pare valida in direzione genericamente ferrarese. Il Longhi stesso [1958] rileva sul fondo elementi giorgioneschi, e situa il dipinto nel primo decennio del secolo; il Bianconi lo sposta al 1513-14, mentre il Bottari insiste nel collegarlo ai freschi dell'atrio e della cappella mantegnesca in Sant'Andrea a Mantova. Il giudizio risulta complesso, non dal punto di vista cronologico, ché si sarà evidentemente attorno al 1510 per le relazioni coi dipinti precedenti, ma perché una volta di più il Correggio ha compiuto una serie di scelte precise: le citazioni mantegnesche sono ridottissime, irrilevanti; la costruzione delle figure, invece, direttamente rielabora motivi del Garofalo, e il paesaggio veramente itera una poetica, appunto quella del ferrarese, tanto oltre l'accademismo dell'Ortolano. Ma la tessitura dell'insieme appare differente dal Garofalo: se questi, ad esempio nella Madonna delle nuvole (Ferrara, Pinacoteca), costruisce 'macchine' in cui le figure staccano dal paesaggio, il Correggio comincia a intendere profondamente la continuità che lega il naturale (le erbe, gli alberi, il paese) alle persone, comincia a calarle entro un tessuto chiaroscurale che tornerà altre volte nei dipinti dei prossimi anni: un rapporto con la cultura lombarda che va inteso a livello soprattutto ideologico (la cultura plotinica).

11 ⊞ ✴ 55×40 *1510-11* ▤ :

MADONNA COL BAMBINO. Washington, National Gallery of Art (Kress).

Nel '700 apparteneva a J. Hugh Smith di Marbury Hall (Geshire). Attribuita al Correggio dal Ricci e analizzata in particolare nella monografia del 1930; la cronologia proposta dallo studioso è il 1506, mentre il Longhi [1958] propone semplicemente di chiuderla entro il primo decennio. L'impianto della composizione è apparentemente mantegnesco: si veda fra l'altro la Madonna col Bambino del Poldi Pezzoli a Milano o la Madonna col Bambino dormiente degli Staatliche Museen di Berlino, una tradizione che prosegue ancora oltre, in numerose altre opere tarde quali la Madonna col Bambino e i santi Giovanni Battista e Maddalena della National Gallery di Londra e l'Adorazione dei Magi nella collezione Northampton; tuttavia non sembra potersi pensare al Mantegna, nonostante le apparenti somiglianze iconografiche, proprio per la diversissi-

ma stesura, per una tessitura pittorica che del disegno mantegnesco e del suo aristotelismo elude appunto il significato quasi di grafica dimostrazione. I trapassi tonali fanno pensare che, oltre all'esperienza della primitiva opera del Garofalo, un'altra sia ancora presente al Correggio, e cioè la ricerca leonardesca. Si noti comunque il tipo stesso d'impianto con l'affondo prospettico sottilissimo, il posarsi dei capelli della Madonna sulle spalle, da confrontare con quelli della Santa Caterina (n. 4). Con ogni probabilità il Correggio, dagli anni attorno al 1507 in poi, viene conducendo avanti una rielaborazione della sintassi mantegnesca alla luce di culture diverse.

12 ⊞ ✴ 77×99 *1512 ▤ :

NATIVITÀ, CON I SANTI ELISABETTA E GIOVANNINO. Milano, Brera.

Acquistata a Londra da B. Crespi come Dosso Dossi; donata dalla famiglia Crespi a Brera nel 1913. Datata dal Gronau al 1513-14; qualificato, dal Venturi [1926], il paesaggio come "degno della contemporanea pittura veneta", mentre l'angelo sarebbe "l'ultimo riflesso dei tipi di Ercole de' Roberti". Il dipinto sembrava avere un posto ormai definito, anche cronologico, e soprattutto in opposizione, con l'Adorazione dei Magi (n. 38). Il Ricci [1930] coglieva elementi dosseschi nel paesaggio, che gli pare più ricco rispetto appunto all'Adorazione dei Magi, spostando ulteriormente la cronologia al 1514-15. Il Longhi [1958] sottolinea invece la cultura mantegnesca, inserita però entro un chiaroscuro leonardesco; mentre il Bianconi data al 1513-14, e il Bottari riprende la tesi dossesca del Ricci e quella mantegnesca del Longhi. La questione critica più interessante, quanto alla cronologia, è lo stacco, almeno mentale, come suggerisce il Longhi, tra le due opere di Brera; infatti le citazioni mantegnesche sono agevoli da individuare, però la santa Elisabetta, col manto pieghettato e aperto a raggera sul suolo, e la natura, fratta e micrograficamente descritta, fanno piuttosto pensare a una cultura diversa, forse alla visione di qualche incisione di Dürer; del resto, il paesaggio non parrebbe, se la datazione che proponiamo non è troppo alta, essere veramente

12 [Tav. III]

89

13 A

13 B

13 B¹

90

dossesco: cioè non sembra di poter portare più avanti del 1512 circa questo dipinto. Conviene inoltre leggervi quell'omaggio classico, a un classicismo post-bramantesco che andava diffondendosi in Emilia, nella colonna assiale al fondo; mentre qua e là, nei putti per esempio, cogliamo persino citazioni locali, del Maineri.

Affreschi esterni di Sant'Andrea a Mantova

Tre tondi nell'atrio della chiesa — Ascensione, Sacra Famiglia e Deposizione nel sepolcro — risultano assegnati al giovane Correggio dal Donesmondi [1612-16]; l'attribuzione trovò eco nella storiografia locale fino all'inizio del secolo scorso, poi cadde nel dimenticatoio, anche perché i dipinti, ormai gravemente danneggiati, vennero ricoperti da un nuovo intonaco, ove si provvide a farne eseguire grossolane copie. Dietro suggerimento di A. Venturi, che riconobbe nelle repliche ottocentesche le composizioni descritte dal Donesmondi, nel 1915 si provvide a liberare gli affreschi del '500, e lo studioso, unitamente al Pacchioni, confermava [1915], per gli ultimi due suddetti, l'ascrizione al Correg-

gio. Entro il 1961 si provvide allo stacco dal muro delle tre opere, unitamente a una quarta (Santi Andrea e Longino), sul frontone della chiesa, sottaciuta dal Donesmondi. Assieme alle relative sinopie, i quattro tondi del Mantegna a Mantova; in tale occasione furono assegnati al maestro, ma non del tutto persuasivamente (si veda 'Classici dell'Arte - 8', n. 64 A, B, C), la coppia di santi e l'Ascensione, all'Allegri le due composizioni restanti. Le indicazioni premesse al n. 13 A valgono anche per il n. 13 B.

13 ⊞ ⊗ diam. 150 ▤ ⫶ *1514*

A. SACRA FAMIGLIA.

I restauri hanno rivelato che il Correggio si limita, qui, a completare un affresco precedente, e precisamente il fondo e la figura della Madonna; l'opera probabilmente doveva essere rimasta incompiuta, suggerisce il Paccagnini, comunque l'intervento correggesco è condotto sulla santa Elisabetta, sul san Giovanni, sul Bambino, sul san Giuseppe soprattutto, quindi sul vaso e sul parapetto. Anche tecnicamente il modo di operare del Correggio si distingue perfettamente da quello dei prosecutori del Mantegna; infatti il Correggio adotta un modo di dipingere per trasparenze, un tipo

di pittura souple, non pesantemente disegnata, che si accorda perfettamente con quelle meditazioni sulla Giuditta (n. 8), con quelle esperienze — mediate o no — venete, di cui abbiamo largamente parlato.

B. DEPOSIZIONE NEL SEPOLCRO.

D'una anteriore composizione nello stesso luogo, forse distrutta deliberatamente, restano soltanto gli avanzi di tre teste, riemersi dallo stacco; e, sempre dallo stacco, è pure riemersa una splendida sinopia [B¹] condotta, precisa dal Paccagnini, a pennello nero sull'arriccio del primo affresco distrutto, di cui resta anche qualche frammento di sinopia che il Paccagnini stesso crede — ma l'ipotesi non pare verificabile — del Mantegna. Fatto è comunque che il Correggio dovette studiare con estrema cura questo tema; non solo, infatti, opera a pennello libero una sinopia, ma prima elabora un cartone del quale è pervenuto un frammento, identificato dal Popham alla Morgan di New York [1957], il cartone per la testa della figura di donna urlante in secondo piano, che recava un'attribuzione a Ercole de' Roberti, neppure del tutto ingiustificata, a parte il tipo del segno, nel Correggio sdutto e quasi carpente la luce. Tuttavia il problema correggesco non è qui, quanto nella grande invenzione compositiva, un'invenzione che va ben oltre il tema dello scorcio mantegnesco e veramente ricrea, questa volta descritti con dolcissimo discorso narrativo, quei temi delle Pietà tanto familiari alla cultura emiliana. Però di questa cultura il Correggio ha saputo superare gli schemi anche compositivi, il Cristo scorcia adagiato sul sepolcro forse come in qualche cimasa belliniana, le teste delle figure si incrociano, in un alternarsi chiaroscurale che è ritmo di sentimenti. Interessa anche cogliere, nella sinopia, l'accento posto dal Correggio sul Cristo stesso, e sulla testa della urlante prefica della sinopia Morgan, mentre il resto delle forme rimane abbozzato appena, schematicamente ridotto ai contorni: dal Mantegna, in fondo, il Correggio qui ha assunto solo un elemento, l'idea che una figura dovesse avere, almeno nel gesto, non certo nella tessitura pittorica, la facies, la maschera tragica. Dalla sinopia al fresco, se possibile, la tensione sentimentale aumenta, basti vedere la Madonna, a sinistra, e tutta la composizione muove su questa giostrata struttura formale, su questo ritmo che dalla Madonna, appunto, pel corpo del

Cristo risale fino all'urlo della maschera tragica in secondo piano. Una invenzione del genere, certamente la più alta di questi primi tempi del Correggio, una invenzione che vediamo proprio nel suo farsi, nel suo crescere sulla sinopia, non data certo agli anni attorno al 1510, ma deve andare, a mio vedere, oltre, probabilmente verso il '14. Appare inoltre significativo che il Correggio abbia eseguito, per quest'opera, oltre a un numero verosimilmente alto di disegni (ma nulla ne sussiste), un cartone (del quale è noto il frammento ricordato più sopra, e da noi riprodotto a pag. 114), una sinopia e, su questa, l'affresco: dando prova di una ricerca complessa e articolata, come non ritroveremo in seguito: per esempio, sotto uno — almeno — dei pennacchi in San Giovanni Evangelista in Parma (n. 50) non esiste sinopia; e, per l'ornamentazione nel Duomo della stessa città (n. 68-69), il maestro farà ricorso alla quadrettatura dei disegni per trasferirli direttamente sul muro.

Vorrei infine ribadire un'osservazione di stile: la sinopia mi fa pensare, come tipo di ductus, al grandissimo ultimo Bellini, convertito neoplatonico: ulteriore spia di quella attenzione alla cultura veneta che mi sembra dominare in questi anni l'interesse del Correggio.

16

17

14 ⊞ ⊗ 299×245 ▤ ⫶ 1514-15

MADONNA DEL SAN FRANCESCO. Dresda, Gemäldegalerie.

I santi raffigurati sono, a sinistra del trono, Antonio da Padova e Francesco d'Assisi; a destra, Caterina d'Alessandria e il Battista. Il rilievo nel gradino del trono presenta la creazione di Eva, il peccato originale e la cacciata dal paradiso; più sopra, nell'ovale fra i due putti-cariatide, Mosè con le tavole della Legge. Il Ricci [1930] ha studiato attentamente le vicende della commissione della pala, che pare qui interessante riportare: "Un Quirino Zuccardi, facendo testamento il 4 luglio 1514, lasciò una casa al convento di San Francesco in Correggio per pagar le spese di una tavola da collocare sull'altar maggiore della chiesa. Nicola Selli da Parma, abitante in Correggio, erede dello Zuccardi, preferì tenersi la casa e dare a frate Gerolamo Catanei, custode e procuratore dei francescani, 95 ducati e 74 soldi per la fattura dell'ancona. Un mese e mezzo dopo, e precisamente il 30 agosto, lo stesso Catanei, Antonio Zuccardi e Tommaso Affarosi sindaci del convento, insieme al notaio si recarono in casa del pittore per ordinargli il dipinto"; al rogito era presente come garante Pellegrino Allegri, padre del pittore. Al Correggio viene assegnata la somma di 100 ducati d'oro: 50 sono anticipati, il resto al termine dell'opera. La tavola su cui il Correggio deve dipingere è commessa il 4 ottobre a maestro Pietro Landini, con termine di consegna nel mese; il pittore intanto preparava il cartone per iniziare a novembre. Il 24 marzo 1515 si pagano a Luca Ferrari alcuni ferri della cornice, e 10 ducati si pagano al Correggio "per uno miara d'oro che pose all'ancona". Il 4 aprile l'Allegri riceve l'ultimo pagamento; poi vi sono poche altre spese, imbiancatura della cappella, ponteggi, tela per coprire l'ancona; pagamenti al Landini che aveva apprestato la tavola e al Correggio per dare l'azzurro alla cornice e, il Ricci specifica, "certamente nel fondo degli ornati d'oro": "È dunque certo che il grande quadro fu compiuto in cinque mesi". L'opera rimane in San Francesco fino al 1638, quando il duca Francesco I di Modena la confisca di nascosto, facendola sostituire con una copia del Boulanger, che desta scandalo e rimostranze da parte dei cittadini di Correggio. Nel 1746 perviene a Dresda, in seguito alla nota vendita di cento capolavori della quadreria estense, ceduti dal duca Francesco III ad Augusto III di Polonia, elettore di Sassonia. Ci si domanda se in tale occasione fosse apposta la firma "ANTONIVS DE ALEGRIS P.", sicuramente apocrifa.

Può essere interessante ricordare che il Morelli [1897], a proposito del dipinto, negava la formazione mantegnesca del Correggio, per collegarla invece al Costa, puntando soprattutto sulle caratteristiche formali del monocromo del basamento. Interessante ancora la posizione di A. Venturi, che nel 1915 già analizza le principali esperienze culturali a suo vedere filtrate nell'opera: la Madonna col Bambino deriva direttamente dalla Madonna della Vittoria

15

20 [Tav. IV]

per le figure al basso e la Madonna e il paesaggio), la sua Madonna, inserita appunto anch'essa nel paesaggio. Dunque una tangenza raffaellesca, ma anche un ulteriore pensamento sulla tradizione veneta, forse non più mediata, sono il segno del tempo nuovo.

15   49×37 *1515*

SACRA FAMIGLIA CON I SANTI ELISABETTA E GIOVANNINO. Milano [?], propr. Orombelli.

Sul retro è impresso lo stemma medioceo. Nel 1905 apparteneva al Cavenaghi; successivamente, nelle collezioni Villa, Guiscardo Barbò e, dopo il 1930, Orombelli di Milano. Il Gronau la riferisce, *more solito*, al 1512-14; A. Venturi [1926] nota che il modello per la composizione è un'incisione di Giannantonio da Brescia derivante dal Mantegna, ma avverte che le figure, "impicciolite, allontanate, assottigliate, avvolte d'atmosfera si allontanano dal mondo mantegnesco: l'effetto statuario si muta in effetto pittorico", e coglie elementi costeschi e leonardeschi. Il Ricci [1930] individua invece una diretta derivazione dal Mantegna (*Madonna col Bambino fra due santi*) alla National di Londra, e aggiunge che il Bambino è pressoché identico a quello della *Madonna della Vittoria* al Louvre; solo nel san Giuseppe il segno mantegnesco si stempererebbe: la cronologia proposta, attorno al 1507-08. Il Bianconi [1960] concorda coi riferimenti ferraresi, leonardeschi e mantegneschi e pare dare all'opera una cronologia assai primitiva. Sembra invece che in sostanza l'intero impianto mantegnesco si sia del tutto dissolto attraverso due esperienze: una, evidente, del Garofalo e l'altra, più difficile da dimostrare, forse del Dosso.

16   *1515*

MADONNA COL BAMBINO. ... (Svizzera [?]), propr. priv.

Frammento di pala. Attribuita nel 1927 da A. Venturi; confermata ma con dubbio dal Ricci [1930]; datata dal Longhi [1958] al 1514-15. La struttura aggirante delle forme, il diretto rapporto con la verzura, il traforante paesaggio ai due lati, tutto parla a favore di un momento culturale che elabora da un lato l'esperienza garofalesca, dall'altro che entra in contatto col Dosso.

17   27×21 *1515*

SACRA FAMIGLIA CON I SANTI ELISABETTA E GIOVANNINO. Pavia, Museo Malaspina.

Apparteneva ai Malaspina con l'attribuzione al Francia. Il riferimento al Correggio trova concorde la critica moderna nonostante il grave deperimento dell'opera. Per il Gronau [1907], del 1512-14; A. Venturi [1926] vi scorge un tentativo di uscire dal sistema compositivo mantegnesco; il Ricci [1930] la data dubitativamente al 1513-14 e nota che mentre l'Elisabetta è mantegnesca, il Gesù ha mosse leonardesche. Appare chiaro che un'opera così sottilmente chiaroscurata, così ricca, col san Giuseppe tanto legato a figure

della *Sacra Famiglia* Orombelli (n. 15), non può essere di un periodo anteriore al 1515 circa, anche e proprio considerando una nuova attenzione, ben più precisa delle citazioni saltuarie, per il modo espressivo leonardesco.

18   55×44 1515*

IL REDENTORE [?]. Bologna [?], propr. priv.

Sul volume si legge il Salmo 110, donde la supposizione che possa trattarsi di David (ma è da notare che tale Salmo si riferisce al Messia); il Bottari, notando che nelle pagine del libro si scorge — come filigranato — un agnello, crede sia invece il Battista (ma si potrebbe pensare all'elemento di una precedente figurazione). Reso noto dal Longhi, col titolo di *Cristo giovine*, quale autografo immediatamente posteriore alla *Madonna del San Francesco* (n. 14), al corrente di Leonardo e Raffaello (si può indicare il rapporto con lo splendido san Giovanni, nella pala bolognese di *Santa Cecilia*), e indicando, nel mo-

18

to aggirante del capo, lo stacco dell'assialità mantegnesca.

19   53×32 *1515-16*?

NATIVITÀ CON I SANTI ANTONIO E GIOVANNINO. ... (Lombardia [?]), propr. priv.

Resa nota dal Longhi [1958] come autografo verso il 1515, ricca di accenni alla cultura ferrarese (Garofalo giovine, in particolare). Sebbene gravemente spulita e qua e là ritoccata, l'opera appare di buona qualità, né priva di nessi con Amico Aspertini.

20   48×37 *1516*

MADONNA CON IL BAMBINO E SAN GIOVANNINO. Madrid, Prado.

Proviene dalla collezione di Isabella Farnese. Già il Gronau [1907] suggeriva una datazione verso il 1515; A. Venturi [1926], collegandola al *Riposo in Egitto* di Firenze, vi individuava nessi con la *Vergine delle rocce* di Leonardo; il Ricci, stranamente, la trova "un po' rozza" e la data sul 1516; gli studiosi successivi insistono sulle reminiscenze leonardesche. Certamente vi sono tutti gli ingredienti, dal controluce del fondo alle verzure, dalla Madonna sul terreno alle erbe micrograficamente descritte, dallo sfondato a galleria alla costruzione chiaroscurata, per rammentare, se non proprio la *Vergine delle rocce*, almeno l'ambiente fecondo in questi an-

19   **21**

del Mantegna (Louvre), il Battista sarebbe simile al Battista della pala per Santa Maria in Organo a Verona; i cherubi sarebbero esattamente come nel Bianchi Ferrari; la composizione dell'ancona e del trono senza schienale deriverebbe dal Francia, come la santa Caterina, e anche i girari fogliati. Del resto, poco più tardi, lo stesso Venturi [1926] ripeteva, a proposito della pala, trattarsi d'un "centone di motivi quattrocenteschi, dalla cultura in genere emiliana e precisamente Mantegna, Costa e Francia". D'altro canto lo stesso Ricci [1930] itera i giudizi venturiani, aggiungendo magari per il san Giovanni l'annotazione di alcuni elementi leonardeschi e mantenendo anche le asserzioni del Venturi sul rapporto col Bianchi Ferrari nonché col Perugino, ecc. Anche Popham [1957] asserisce che la *Madonna della Vittoria* del Mantegna è il modello sicuro del Correggio, e pure individuando nessi col Costa e col Francia. Il Longhi [1958] individua nell'opera una vera e propria "crisi culturale", legge il carattere mantegnesco della Madonna e della Caterina, accetta la tesi del Ricci sui riferimenti, sia pur vaghi, del Battista a Leonardo, specifica l'architettura costesca del trono; ma vede anche — e qui sta la novità — un modo nuovo di strutturare le forme nel sant'Antonio e nel san Francesco, modo che per lo studioso è forse eco della presenza in San Sisto di Piacenza della *Madonna*, ora a Dresda, di-

pinta da Raffaello nel 1513. Bottari, infine [1961], pur rammentando i vari nessi con Mantegna, Costa e, pel trono, anche con Ercole de' Roberti individuati dalla precedente critica, e dopo avere accettati anche i rapporti col Bianchi Ferrari, consente con la tesi longhiana che il dipinto dovette essere stimolato dalla *Madonna* in San Sisto, e poi vede nessi col Dosso, col Caroto, con Amico Aspertini e Antonio Pirri. A parte il fatto che in alcuni casi, specie quello del Dosso, siamo forse in età troppo ancora arcaica per pensare a un rapporto col Correggio, non sembra accettabile che l'opera in esame si colleghi, per l'impianto, alle pale costesche (si pensi in particolare al *San Petronio fra i santi Francesco e Domenico* del 1502, attualmente nella Pinacoteca di Bologna): le grandi architetture vi includono certamente rientrano nella cultura post-bramantesca emiliana, degli Zaccagni e Tramello a Piacenza, per far due nomi soli, più che in quella del Rossetti a Ferrara o dei Da Formigine a Bologna. E questa doveva esser già una scelta indicativa di uno spazio unitario, organico. Poco importa che il trono abbia dei monocromi costeschi citati, monocromi che poi, a ben vedere, saranno invece di quel mantegnismo filtrato attraverso l'esperienza veneta di cui si è già ampiamente discusso nelle schede precedenti. Circa, poi, il riferimento alla *Madonna della Vittoria*, iconograficamente ovvio

ma stilisticamente impossibile, si confronti la materia tagliente e netta della pala mantegnesca con questa tessitura atmosferica di colori, con questa Madonna proiettata nell'aperto spazio del cielo. A questo proposito, l'idea che la pala raffaellesca di San Sisto possa avere avuto un significato preciso per il Correggio non è da trascurare e, a cominciare dai cherubi sfumati nella baluginante luce del giorno; tuttavia non credo che il Correggio ora avesse già possibilità di intendere la nuova metrica raffaellesca. Invece vorrei riferirmi alla grande tradizione, per il solito non considerata, delle pale venete e segnalare, tra Bellini e Giorgione, i punti di tangenza più significativi con questo momento di elaborazione del Correggio. Non so (del resto lo lasciavo in sospeso anche in *Correggio, le scelte critiche* [1969]) se sia possibile affermare che l'Allegri abbia veduto la pala giorgionesca (1504?) di Castelfranco; comunque dovette interessarsi, anzi commuoversi, al mondo terminale, altissimo, di Giovanni Bellini, a pale come quella per San Zaccaria del 1505, se non addirittura alla grandissima pala di San Giovanni Crisostomo del 1513 o all'*Assunta* di Murano: infatti in questa cultura troviamo l'impasto luminoso, l'analoga compenetrazione delle figure nell'atmosfera che il Correggio realizza soprattutto nella zona superiore del dipinto in esame, proiettando, proprio come aveva fatto Giorgione (con un duplice punto di vista

91

ni dei seguaci di Leonardo; ma il Correggio deve essere al corrente, nel medesimo tempo, di altri avvenimenti: la costruzione piramidata, la delicatezza di stesura non possono disgiungersi dalla visione delle immagini raffaellesche.

21 ▦ ✹ 50×38,5 *1516* ▤ ⁝
ADORAZIONE DEI PASTORI. Firenze, Museo Horne.

Attribuita al Correggio da A. Porcella ["IV" 1932], quando passava per un'opera di L. Orsi; il riferimento trovò concordi M. Marangoni e R. Longhi [in Rossi, *Il Museo Horne*, 1967]; quest'ultimo ribadì l'opinione [1958], prospettando una cronologia verso il 1516. Nonostante le numerose ridipinture, appare accostabile all'*Adorazione dei Magi* a Brera (n. 38), pur con qualche tangenza col primo Garofalo.

22 ▦ ✹ 26,7×21 *1516* ▤ ⁝
SACRA FAMIGLIA CON SAN GIOVANNINO. Los Angeles, County Museum of Art (W. R. Hearst Collection).

Pervenuta dalla collezione Ch. F. Murray di Londra a quella Brandegee, che la diede in deposito al Museo cui ora appartiene. Per Gronau [1907], del 1513-14, concorde il Bianconi; secondo A. Venturi [1926] e C. Ricci [1930], dubitativamente del 1514-15. A causa del duplice esercitarsi di ascendenze leonardesche e raffaellesche, alquanto posteriore.

23 ▦ ✹ 72×98 *1516* ▤ ○
NATIVITÀ, CON LE SANTE AGNESE E BARBARA.

Resa nota dal Longhi [1958] come già appartenuta a un padre Rossi in Roma. Palese richiami al Garofalo, all'Aspertini e al Costa; nel fondo compaiono le colonne di tradizione bramantesca, consuete nel giovane Allegri. Soprattutto nei visi si notano restauri di tipo antiquariale.

[Tav. V]

24 ▦ ✹ 49×32 *1516-17* ▤ ⁝
SANT'ANTONIO ABATE. Napoli, Capodimonte.

Pervenuto (1905 c.) dalla sagrestia dei Gerolamini in Napoli. Variamente datato dai critici: 1514-15 [Gronau, 1907; Longhi, 1926], 1519? [Ricci, 1930], 1515-18 [Longhi, 1953], 1515 c. [Bianconi]. Va notato il riferimento a Leonardo, mentre i nessi con la cultura emiliana arcaizzante, costesca soprattutto, stanno quasi scomparendo: donde l'ipotesi che l'opera spetti al 1516-17 circa.

25 ▦ ✹ 66×55 *1517* ▤ ⁝
MADONNA COL BAMBINO. Vienna, Kunsthistorisches Museum.

Scoperta, come autografo del Correggio, nella cappella di Helbrunn da Voss [1926] e acquistata (1928) per il Museo. Ampiamente, se non generalmente, accolta dalla critica, discorde comunque sulla cronologia: 1513, per il Ricci; 1515-18, per il Longhi [1958]. Per gli estesi riferimenti a Raffaello, anche nel paesaggio, piuttosto che alla cultura ferrarese del Garofalo, si può precisare la datazione intorno al 1517.
Un'altra versione, da qualificare come copia antica, si conserva nei depositi della Galleria Corsini a Roma.

26 ▦ ✹ 172×126 *1517* ▤ ⁝
QUATTRO SANTI. New York, Metropolitan Museum.

I santi raffigurati sono: Pietro, Marta, Maddalena e Leonardo. Viene abbastanza concordemente identificato col dipinto relativo alle disposizioni testamentarie di un tale M. Fassi, secondo la ricostruzione dei fatti così fornita da C. Ricci [1930] (che però si oppone alla identificazione testé accennata): detto testamento è del 15 dicembre 1517; con esso il Fassi istituisce erede della chiesa di San Quirino in Correggio, a patto che vi venga costruita una cappella e che la si doti d'una pala raffigurante i santi indicati qui sopra; poiché il 29 agosto 1528 M. Fassi rinnovava il testamento a favore, stavolta, della chiesa di San Domenico, pure in Correggio, con gli stessi obblighi di cui sopra, sembra chiaro che nel '28 la pala non era stata ancora eseguita; però il Fassi possedeva già nella chiesa di Santa Maria della Misericordia, sempre a Correggio (chiesa alla quale finì col lasciare tutti i suoi beni), un altare dove si trovava da tempo un'opera del Correggio (come risulta dalla cronaca dello Zuccardi e da altre fonti). Ed è da credere che quest'ultima sia da identificarsi col dipinto in esame, proveniente appunto dalla chiesa della Misericordia (mentre una copia sussiste, nella stessa Correggio, in San Francesco).
Le proposte per la cronologia sono molto discordi: 1514-15, per Gronau [1907]; 1514, per Ricci [1930]; 1515-18, per Longhi [1958]; forse 1515, per Bottari. In apparenza, i nessi con la raffaellesca *Santa Cecilia* di Bologna, già postulati da A. Venturi [1915 e 1926], sono evidenti: soprattutto, personaggi eretti, sul terreno, e una particolare articolazione delle figure, sì che quelle più prossime al primo piano facciano da proscenio; ma credo che le affinità non vadano oltre: Raffaello inventa un cosmo platonico; il Correggio parte invece da un concetto opposto: le sue figure sono immerse nel naturale, vivono nella dialettica col naturale; al limitare di un bosco fittissimo, su un terreno sgranato di incisi sassi, esse sono ferme come a conversare, ciascuna con sé medesima, reggendo un oggetto, il proprio simbolo del martirio. Una tale continuità col naturale e del naturale, soprattutto un rifiuto così palese della forma proporzionata, statuaria, della piega ritmica, vogliono dire che il Correggio è convertito a una differente filosofia, quella plotinica che nel Settentrione aveva avuto Leonardo forse come maggiore esponente. La tessitura plastica dell'immagine, tenue, dolcissima, mostra una ricchezza e una maturità che non si adattano certamente agli anni di incertezze verso il 1514 circa; ma che, semmai, conducono intorno al 1517.

27 ▦ ✹ 64×51 *1517* ▤ ⁝
SAN GEROLAMO. Madrid, Academia de Bellas Artes de San Fernando.

Risulta nell'inventario fatto stendere nel 1627 da Vincenzo Gonzaga; poi a Londra; alla fine del '700 era nel Palazzo Reale di Sant'Ildefonso presso Segovia [Ponz, 1793]; da qui, alla sede odierna. L'attribuzione alla giovinezza del Correggio fu avanzata dal Longhi ["A" 1921]; il Ricci l'accolse, datando dubitativamente al 1519; il Longhi stesso [1958] lo riferì poi al 1515-18; il Bianconi, al 1515. Per gli evidenti confronti col *Sant'Antonio abate* di Napoli (n. 24), già indicati dal Longhi [1921], spetta verosimilmente al 1517. La luce sbiancata che illumina all'interno la figura, i vegetali del fondo, il colloquio col teschio

ridotto a personaggio, la corruzione fondente dei lineamenti sono alcuni degli elementi più vivi di quest'opera di alta intensità.

28 ▦ ✹ 63×53 *1517* ▤ ⁝
SACRA FAMIGLIA CON SAN GIOVANNINO. Orléans, Musée des Beaux-Arts.

Proviene (1872) dalle collezioni di Luigi XV, come asserisce Villot [Catalogo, 1869], negandola al Correggio in pro di Pomponio Allegri o, genericamente della "scuola lombarda": declassamento per il quale venne destinata a Orléans. L'appartenenza al maestro viene asserita dal Longhi ["A" 1921] con riferimento al *San Gerolamo* di Madrid (n. 27) e alla *Madonna* di Hampton Court (n. 43), notando elementi mantegneschi nell'assialità compositiva. L'opinione è condivisa da A. Venturi [1926] e Bottari, mentre il Ricci ritarda il dipinto al 1519 circa. Il Bianconi respinge l'autografia, forse sulla base dell'affermazione del Berenson che si tratti d'una copia. È invece una fra le opere più complesse e raggiunte del Correggio, che vi rielabora il tipo di 'sacra conversazione' fissato da Leonardo e divulgato da De Predis, Luini, Cesare da Sesto (pur senza ignorare opere dipinte da Raffaello verso il 1508, dalla *Madonna Niccolini Cowper* di Washington alla *Madonna Tempi* di Monaco), e il tessuto pittorico del maestro da Vinci. Inoltre non si deve dimenticare che la ricca cultura del Correggio si avvia anche a contatti con fra' Bartolomeo e Andrea del Sarto, oltre che col Beccafumi.

29 ▦ ✹ 68×49 *1517* ▤ ⁝
MADONNA CON IL BAMBINO E SAN GIOVANNINO. Milano, Castello Sforzesco.

Dipinto riportato su tela dalla tavola originaria. Talora designato *Madonna Bolognini Attendolo*, dalla collezione donde pervenne alla Biblioteca Ambro-

22

25

28

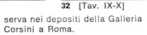
24

29 [Tav. VII]

30

35 [Tav. VI]

27

92

23

38 [Tav. XI-XII]

siana prima di appartenere alla sede odierna Attribuito al Correggio dal Frizzoni, concordi Meyer [1871], Gronau [1907] datandolo 1514-15, A. Venturi [1926], Ricci [1930] accogliendo dubitativamente la cronologia di Gronau, Longhi [1958] adducendo il 1517-18, Bianconi [1960] anticipando al 1513-14, e Bottari [1961] posticipando al 1516. Le meditazioni del Correggio sulla cultura leonardesca si uniscono qui ad altri interessi. Nonostante siano possibili riferimenti a Raffaello, la novità della composizione, con la scolpita pilastrata a sinistra tranciata a mezzo (una pilastrata lombarda) e quindi il Giovannino che entra nello squadro del dipinto, poi la Madonna, infine a destra il cielo aperto, sono tutte queste idee che suggeriscono una continuità tra personaggi e naturale in senso plotinico, per cui non si può pensare a prima del 1517 circa.

L'opera assai affine a quella ora presa in esame, che il Bottari stesso menziona sul mercato milanese, è forse da identificare con quella ora a Chicago (n. 30).

30 ⊞ ⊗ 64×50 *1517*? 🗐 ⁝

MADONNA CON IL BAMBINO E SAN GIOVANNINO. Chicago, Art Institute (Clyde M. Carr).

Pervenuta di recente. Mi sembra presentare nessi, in particolare, con l'identico tema nel Castello di Milano (n. 29): la stessa tessitura cromatica con elementi leonardeschi, un paesaggio fumigante con riferimenti forse al primissimo Dosso, soprattutto una duttilità formale da collegare alla cultura e al momento correggesco immediatamente prima dell'esperienza della 'maniera' toscana.

più prossima alla ricerca manieristica del Beccafumi. L'opera risulta paradigmatica dell'esperienza plotinica del Correggio e della continuità, appunto, fra esseri animati e inanimati. Non più, come nella *Santa Cecilia* di Raffaello, le figure degli angeli sospese in un arco di nubi, ma il crescere delle forme angeliche stesse dalle nuvole, sulle fronde; davanti siede la Madonna, entro un prato fiorito di leonardesche verzure, con a sinistra il coniglio simbolico.

Fra le varie copie note è da citare quella nella Pinacoteca Ambrosiana di Milano, forse da porsi in rapporto con una menzionata da Fede Galizia nel proprio testamento.

32 ⊞ ⊗ 129×106 1517* 🗐 ⁝

RIPOSO DURANTE LA FUGA IN EGITTO, CON SAN FRANCESCO. Firenze, Uffizi.

In origine si trovava nella cappella Munari di San Francesco a Correggio; da dove lo fece asportare (1638) il duca Francesco I d'Este, sostituendolo con una copia tuttora *in situ*. Nel 1649 fu barattato con un *Sacrificio d'Isacco* di Andrea del Sarto (ora a Dresda), offerto dal granduca di Toscana: in tal modo passò da Modena a Firenze [Lanzi, 1834]. Per qualche tempo venne ascritto al Baroccio. Fra i critici moderni, concordi nel riferimento al Correggio, si riscontrano divari sulla cronologia: 1516-17, per Morelli [1897]; 1515 circa, secondo Gronau; mentre Ricci pensa dubitativamente al 1516 e il Bianconi al 1516-17. La rielaborazione della cultura leonardesca e la coscienza delle ricerche dei primi manieristi toscani confermano il termine più inoltrato. Sono ravvisabili nessi con Andrea del Sarto e il Beccafumi.

Una copia, senza la figura di san Francesco, è menzionata a Lisbona.

33 ⊞ ⊗ 42,6×33,4 *1517-18* 🗐 ⁝

IL REDENTORE. Washington, National Gallery (Kress).

Fin da quando si trovava nella collezione Kinnaird a Rossie Priory (Inchturc), col riferimento del Berenson a Leonardo da Pistoia (mantenuto fino agli *Indici* del 1936), il Longhi riconobbe (1929) trattarsi d'un Correggio, come lo studioso ebbe a ribadire [1957, 1958] avanzando la datazione 1517-18. L'indicazione venne prontamente accolta dal

Ricci, poi dal Bottari con riferimento al 1514 circa. La cronologia più avanzata sembra meglio convenire, ché non basta la cultura leonardesca a spiegare questa tessitura fluida di pieghe, questo scavarsi del viso, questi colori caldi; si deve pensare a un contatto complesso e arricchente con la pittura toscana, verso Andrea del Sarto e verso il Beccafumi.

34 ⊞ ⊗ 53×41 *1517-18* 🗐 ⁝

PIETÀ. Londra, Courtauld Institute Galleries (Lee of Fareham Collection).

Mentre il Venturi [1926] tende a limitarne il valore, il Ricci [1930], datandola interrogativamente 1515, la dà al Correggio, con non largo seguito. Il Ricci stesso ricorda che una piccola *Pietà* del Correggio si trovava (1734) a Ferrara, nella galleria

33

del cardinal Tommaso Ruffo, il quale l'aveva acquistata dal marchese del Carpio per 4000 filippi. Rivela un intensificarsi dei rapporti con la cultura manieristica toscana che appariranno più evidenti nell'*Adorazione dei Magi* a Brera (n. 38).

35 ⊞ ⊗ 58×45 *1517-18* 🗐 ⁝

MADONNA COL BAMBINO (Madonna Campori). Modena, Galleria Estense.

In origine nella cappella del castello di Soliera (Modena), dove fu acquistata (1636) dal cardinale Campori; un discendente di quest'ultimo, il marchese Giuseppe Campori, la donò (1894) alla Galleria: donde la denominazione con cui è conosciuta. Il riferimento al Correggio, proposto dal Rasori [1852], trovò concorde la critica moderna — con l'eccezione di Hagen

[1905] —, sia pure non senza pareri divergenti sulla cronologia: 1514-15 [Gronau], 1517 circa [Venturi, 1926; Pallucchini, 1945], dubitativamente 1515 [Ricci], 1517-18 — "immediatamente" prima del viaggio a Roma — [Ghidiglia Quintavalle], 1517 [Bianconi], 1516 [Bottari]. Nell'attenuarsi dei rapporti col mondo di Leonardo, si accentuano quelli con la 'maniera' toscana: ne testimoniano la torsione delle figure, certo prossima a quella della *Madonna di Albinea* (n. 41), e il sottile accostamento di viola e azzurri.

36 ⊞ ⊗ 87×77 *1517-18* 🗐 ⁝

COMMIATO DI CRISTO DALLA MADRE. Londra, National Gallery.

Probabilmente da identificare con un dipinto di cui fa menzione il Tiraboschi [1786] e che si

93

37

trovava in proprietà Rossi a Milano; poi a Firenze, nella collezione Paratore; quindi a Londra (1822), in quella Benson, e dopo alcuni passaggi donato (1927) da Duveen alla Galleria. Da Gronau, Ricci e Bianconi, creduto del 1514; per Longhi [1958], del 1517-18: giustamente, per gli elementi che lo accostano all'*Adorazione dei Magi* (n. 38), in particolare per i riferimenti al Beccafumi, mentre i richiami al Bramantino nell'architettura sembrano confermare l'anteriorità rispetto al soggiorno romano.

37 ⊞ ⊗ 65×53 *1518* 🗐 ⁝

CRISTO PORTACROCE. Parma, propr. priv.

Attribuito dalla Ghidiglia Quintavalle (1963) al Correggio. Sembra perfettamente inserirsi nel momento di elaborazione ma-

31 [Tav. VIII]

34

36 [Tav. XIV]

31 ⊞ ⊗ 49×37 1517* 🗐 ⁝

LA ZINGARELLA. Napoli, Capodimonte.

Nonostante l'assenza di san Giuseppe nel boscoso recesso dove la Vergine stringe a sé il Bambino, si pensa raffiguri un riposo durante la fuga in Egitto. È ricordata nell'inventario del 1587 relativo al guardaroba di Ranuccio Farnese; quest'ultimo la legò (1607) alla sorella Margherita; nel 1734 perveniva a Napoli con la collezione farnesiana. Variamente ubicata dal lato cronologico: 1515 circa [Gronau, 1907]; 1514-15 [Longhi, "A" 1921]; 1516 circa [Ricci, 1930], forse 1516 o dopo [Longhi, 1958], 1515-16 circa [Bianconi], *post* 1516 [Bottari]. Per quel che lasciano scorgere i numerosi guasti e l'incupimento, si deve ravvisare una ricerca ulteriore rispetto alla *Madonna con san Giovannino* di Madrid (n. 20), più prossima alla ricerca ma-

39

41

42 [Tav. XV]

chiarire il maturarsi dell'esperienza correggesca al di là del momento di diretto interessamento per l'opera di Leonardo e dei suoi seguaci. Si deve anche notare che l'impianto prospettico dell'*Adorazione* risulta volutamente duplice: intendo che una prospettiva è quella delle architetture e figure della sacra famiglia, mentre il gruppo di destra entra da un diverso punto di veduta; al fondo, il paesaggio trascolorante beccafumiano; mentre le ultime erbe leonardesche sulla sinistra si trasformano in una fluida cascata di plastico tessuto pittorico.

39 194×163 *1518

SANT'ELENA FRA I SANTI SEBASTIANO E GEROLAMO, DOMENICO E PIETRO MARTIRE. Brescia [?], propr. priv.

Pubblicata dal Longhi [1958], indicando elementi ferraresi, mantovani (del Costa) e collegandola al dipinto Orombelli (n. 15) e all'*Adorazione dei Magi* braidense (n. 38). Opera di qualità considerevole, in cui i rinvii alla *Santa Cecilia* di Raffaello appaiono ormai lontani e i fermenti beccafumiani pervadono l'intero tessuto pittorico, le ombre fumiganti, le figure ampiamente panneggiate, le tonalità stesse calde e trascoloranti.

40 28×24 *1518

NOZZE MISTICHE DI SANTA CATERINA. Napoli, Capodimonte.

Pervenuto a Napoli nel 1734 con le collezioni farnesiane. Fra le numerose versioni note — il Ricci accenna a una ventina di copie — questa è concordemente ritenuta autografa dalla critica moderna. Molte anche le copie incise, benché non sempre desunte dal dipinto in esame; una, eseguita dal Moette (dove però il prototipo è dichiarato su tela), riporta un'iscrizione che si sarebbe trovata sul retro del dipinto: "Laus Deo, per Donna Matilde d'Este Antonio Lieto da Correggio fece il presente quadretto per sua devotione A. 1517". Controverse le proposte per la cronologia: 1518-19 [Gronau; Bianconi], forse 1520 [Venturi], 1517 [Ricci; Bottari]. Opera ancora direttamente improntata al Beccafumi, pur se con caratteri

dell'Anselmi, specie nei cangiantismi; il paesaggio presenta qualche riferimento al Dossi e una sottigliezza cromatica che staccano appieno dalle ricerche su Leonardo.

41 *1518

MADONNA DI ALBINEA.

Raffigurava la Vergine col Bambino seduta ai piedi d'un gruppo di alberi, fra le sante Maria Maddalena e Lucia. La denominazione suddetta deriva

40 [Tav. XIII]

dalla località per la quale fu eseguita: Albinea, presso Reggio Emilia (precisamente per quella chiesa di San Prospero), dove — secondo asserzioni dei storiografi locali — il Correggio avrebbe eseguito il dipinto nel 1517-18, lavorando per 30 soldi al giorno, più le spese di vitto e alloggio; ma una lettera (Reggio Emilia, Archivio) dell'arciprete G. Guidotti di Roncopò — in cui si prega A. Malaguzzi in Reggio di scrivere all'Allegri di seguire i consigli fornitigli dal Malaguzzi stesso per rendere più duratura l'opera, se questa non fosse così avanzata da esigere rifacimenti — prova che la stesura pittorica avvenne a Correggio; e quivi si recava l'arciprete il 14 ottobre 1519 per saldare l'artista con quattro ducati. Il dipinto rimase *in situ* fino al 1648, quando fu asportato con violenza dai pubblici rappresentanti della comunità di Albinea e consegnato al duca Francesco I; in seguito andò disperso. Assai discordi i pareri sulla cronologia, spazianti fra il 1515 e il '19. Quanto al contenuto stilistico, mentre giustamente A. Venturi coglieva [1915] derivazioni dal Costa, più tardi lo studioso stesso [1926] orientava i rilievi soprattutto verso i rapporti con Raffaello; in effetti, dopo le ricerche sul Beccafumi, il Correggio sembra riconsiderare la cultura costesca: almeno a giudicare dalle copie (se ne conoscono almeno cinque), una delle quali (tela, 160×152), proveniente da San Rocco di Reggio Emilia, e data in deposito da Brera alla Galleria di Parma, riveste particolare interesse sia per la qualità, sia per la scritta, in basso a destra: "ANTONIVS LAETVS FACIEBAT", considerata trascrizione della firma apposta sull'originale.

42 130×103 *1518*

"NOLI ME TANGERE". Madrid, Prado.

Dal Vasari è citato in casa Ercolani di Bologna, e il Lamo [*Graticola* ..., 1560 c.] conferma la notizia; in seguito appartenne

al cardinale Aldobrandini, poi ai Ludovisi; trasportato in Spagna, venne offerto in dono dal duca di Medina a re Filippo IV. Variamente datato dai critici: 1523 circa [Gronau], 1524-25 circa [Venturi, 1926], 1523-24 [Ricci], 1522-23 [Bianconi]. Nella Maddalena si ravvisano nessi con la figura di Diana nella Camera di San Paolo, mentre il Cristo sembra ancora memore delle esperienze sul Beccafumi, anteriori al viaggio a Roma, e il paesaggio presenta caratteristiche che postulano una cronologia imme-

43

diatamente posteriore al 1517. In non buono stato a causa di spiliture.

43 67×52 *1518*

SACRA FAMIGLIA CON UN SANTO. Hampton Court, collezioni reali.

La figura a sinistra è variamente identificata con san Giacomo o con san Gerolamo. L'opera proviene dalla raccolta di Carlo I. Divergenti i pareri sulla cronologia: 1515 circa [Gronau, 1907; Longhi, "A" 1921; forse verso il 1516-17 [A. Venturi, 1926], 1519 circa [Ricci], 1515-16 [Bianconi], intorno al 1516 [Bottari]. Peraltro, gli elementi senesi, del Beccafumi in ispecie, inducono piuttosto a una datazione verso il 1518.

44 103×87,5 *1518-19*

RITRATTO DI DAMA. Leningrado, Ermitage.

Sul tronco, a sinistra, la scritta: "ANTON. LAET.", variamente interpretata (anche con rife-

44

rimento al nome dell'innamorato dell'effigiata), ma con ogni verosimiglianza da intendersi come firma 'umanistica' del Correggio. L'effigiata indossa vesti brune, allora colore di lutto, ha uno scapolare da terziaria francescana (visibile sotto la tazza); la tazza che le sta posata sul ginocchio reca la scritta:

nieristica senese dell'artista: le mani allungate e arpeggianti del Cristo singolarmente concordano con quelle delle figure nell'*Adorazione* a Brera (n. 38); anche le tonalità calde e il colore sfumante sul volto e sui capelli quadrano con gli astanti dell'opera braidense.

38 84×108 *1518

ADORAZIONE DEI MAGI. Milano, Brera.

Legata dal cardinale Monti all'arcivescovado di Milano (1650); a Brera dal 1895. Già creduta dello Scarsellino. La datazione veniva per lo più collegata a quella della *Natività* braidense, fra il 1513-14 [Gronau, 1907; Venturi, 1926] e il 1514-15 [Ricci, 1930; ecc.]; lo stacco cronologico rispetto a tale dipinto venne postulato dal Longhi [1958], indicando contatti stilistici — ben più calzanti di quanto si fosse scorto fino allora, in direzione ancora mantegnesca e costesca — oltreché col Dossi, anche col "protomanierismo" emiliano (Aspertini, Leombruno, Mazzoli-no, Maineri, Garofalo) e col Beccafumi (adducendo in particolare il *San Paolo in cattedra* nel Museo dell'Opera del Duomo di Siena). Tramite di rapporti con Siena poté essere l'Anselmi, presente a Parma — si vuole [Affò] — nel 1516; ma, in attesa di conferme documentarie, conviene lasciare in sospeso la questione. Comunque la Ghidiglia Quintavalle [1960], sulla base di codeste ipotesi, sembra riferire la tela in esame al 1517. Il Bianconi [1960] itera le tesi longhiane senza precisare una cronologia; e il Bottari [1961] pure conferma quelle tesi che sono corroborate da un disegno del Metropolitan edito dal Popham [1957], connesso al problema dell'invenzione tematica dell'*Adorazione*; per il Bottari il disegno del Metropolitan rivela appunto elementi beccafumiani da un lato e anselmeschi dall'altro. Un altro disegno, pure edito dal Popham (n. 6), appare essere legato alla testa di una delle figure che seguono i Magi. I rinvii al Beccafumi, in particolare al suo periodo iniziale entro il 1515-16, paiono determinanti per

"ΝΗΠΕΝΘΕΣ" (unica leggibile con sicurezza delle tre apposte sull'orlo del recipiente), che lascia individuare con sicurezza il contenuto, nepente cioè, la bevanda che fa scordare il dolore. Per tali elementi, il Longhi [1958] prospetta possa trattarsi di Veronica Gambara, vedova dal 1518 del conte Gilberto, signore di Correggio. Nel Museo, dove pervenne dalla collezione Yussupov, reca ancora la vecchia attribuzione al Lotto, avanzata da A. Benois [in Liphart, 1910], che del resto trovò concorde anche A. Venturi [Storia ..., IX, 4, 1929]. Fin dal 1935 il Longhi propose il riferimento al Correggio, ribadito dallo stesso studioso [1958] e considerato valido pure da Bianconi e Bottari. Opera singolare soprattutto perché vi appare un evidente passo avanti rispetto ai dipinti finora esaminati: gli esperimenti sul manierismo senese appaiono ormai lontani, il paesaggio non offre più nulla in comune col Dossi, e la figura assume una dignità che ricorda Raffaello e Sebastiano del Piombo.

Affreschi nella Camera di San Paolo a Parma

L'ambiente è un locale quasi cubico (cm. 645×697; altezza al centro della volta, cm. 655) nell'appartamento della badessa del monastero di San Paolo, ora sconsacrato. Tale appartamento era formato in origine da un vasto salone (ora escluso dalla visita), da una sala — pure a pianta quasi quadrata — dipinta nel 1514 dall'Araldi; da questa affrescata dal Correggio, e da una stanza più piccola, cui si accede dalla parete sud della Camera in esame e che doveva servire alla famula della badessa. La funzione simbolica dell'ambiente, il suo timbro umanistico insomma, si collega a quella pratica, di sala per convegni e da pranzo (ne dànno conferma le suppellettili — piatti, brocche ecc. — che la pittura finge sospese ai nastri fra i bucrani, nel fregio corrente sotto le lunette). Il soffitto, voltato, presenta al centro un rosone scolpito con l'insegna delle tre lune falcate, stemma della badessa committente, intorno a cui si intrecciano dei nastri serici rosa, e dal quale partono i costoloni, originanti sedici spicchi concavi. Questi simulano un pergolato con festoni penduli di frutta, reggenti, uno in ciascuno spicchio, ghirlande vegetali di forma ovale, incornicianti un gruppo di due o tre putti, talora con qualche animale, intenti a cogliere frutta, a tendere l'arco, a cacciare ecc. La cupola così adorna si imposta, in corrispondenza a ogni spicchio, su sedici lunette a monocromato, imitanti cioè sculture di timbro classico. Tali gruppi sono compresi, relativamente alla parte lunata, entro una cornice a conchiglia, e poggiano su una trabeazione marmorea — vale a dire il fregio suddetto — dipinta lungo l'intera base della cupola (è interrotta, attualmente, soltanto nella parete nord, in corrispondenza delle finestre che fiancheggiano il caminetto) i cui simu-

lati sostegni delle parti 'aggettanti' sono appunto costituiti da teste di ariete, fra le quali sono tesi i veli, con i recipienti pure teste accennati. Al centro della parete nord l'affresco scende sulla cappa del caminetto (scolpito in pietra a opera di Gianfrancesco da Agrate), raffigurando Diana sul carro. Le pareti, rimaste escluse dall'attività del Correggio, dovevano essere intonacate di bianco o — secondo la supposizione di alcuni — rivestite di arazzi a verzura. L'architettura del locale si deve a Giorgio Edoari da Erba, di cultura lombarda tardogotica, e con la volta a ombrello creò al Correggio un grave problema di unificazione spaziale.

In assenza di documenti ebbero larga accoglienza le argomentazioni dell'Affò [1794], che fissano la stesura del ciclo fra il 1518 e il '20, confermando il tradizionale riferimento al Correggio (mantenutosi pur dopo che dal 1524 il locale era rimasto escluso dalle visite, facendo parte della zona di clausura del monastero), e indicando in Giovanna Piacenza la badessa committente, come d'altronde comprovano lo stemma nella volta e la stessa presenza di Diana sul caminetto (quale trasposizione del nome di battesimo della Piacenza: Giovanna - Gianna - Giana - Diana), dea che in ogni caso non compare a sproposito, essendo la patrona della verginità. Sembra che ideatore 'letterario' del programma illustrativo fosse l'umanista Giorgio Anselmi (uno tra i frequentatori dei colti conviti che si tenevano nella Camera stessa), benché non debbano essere mancate, anche in tal senso, precise indicazioni da parte del Correggio.

In effetti la vicenda critica della Camera implica la soluzione del problema relativo al viaggio a Roma del Correggio (si veda Documentazione), che è merito del Mengs avere postulato come 'necessità' critica, dopo la recisa negazione del Vasari, che aveva condizionato a lungo la critica. In età moderna, dopo le conferme alla tesi mengsiana apportate dall'Affò, A. Venturi [1915], notando elementi michelangioleschi nella Camera, specie nei putti, ribadiva la realtà del viaggio, assegnando l'ornamentazione in esame al 1519; e poi [1926] precisava che gli interessi del Correg-

gio si erano rivolti, in Roma, soprattutto alla Cappella Sistina, ma anche alle Stanze vaticane di Raffaello. Il Ricci [1930], respingendo tali indicazioni, e notando che l'Allegri risulta nella città natale fra gennaio e marzo 1518, sostiene che durante la successiva assenza da Correggio sino al gennaio '19 si trovava a Parma per dipingere il ciclo in argomento; lo studioso adduce inoltre modelli classici — monete, statue e rilievi —, per cui si giustificherebbero talune soluzioni senza alcun bisogno di ammettere il soggiorno romano; infine, basandosi appunto su tali modelli antichi, fornisce un'interpretazione iconologica del ciclo che, per quanto riguarda i putti negli ovati, risulta esclusivamente in chiave venatoria, in opposizione alla 'lettura' del Barilli [1906], che scorgeva differenti rinvii alla vita sociale: oltre alla caccia, anche l'agricoltura, la guerra, l'arte, il buon governo, ecc.), mentre le lunette simboleggerebbero la vita individuale (giovinezza virtuosa, devozione alla divinità, ecc.). Poco dopo il De Giorgi [1931] scorgeva nella figura della dea, sul caminetto, nell'altro che la celebrazione della badessa Piacenza quale saggia reggitrice del monastero. Per il Longhi [1956], argomento degli affreschi è soltanto "una delicata egloga venatoria: la caccia di Diana"; del resto, l'attenzione dello studioso si appunta sui contenuti formali; rileva, così, che il ciclo freschista ha concepito nella stanza due tipi d'illuminazione: una "quasi artificiale", dal basso, figurante essere quella dei candelabri che vi si dovevano trovare; e un'altra, naturale, dal cielo aperto sopra il pergolato. Quanto al resto, il Longhi fissa la data dell'imprescindibile viaggio a Roma proprio nel periodo in cui il Ricci aveva posto la stesura pittorica del ciclo, pensando che quest'ultima sia invece avvenuta, dopo il viaggio, tra febbraio e settembre del 1519, periodo durante il quale l'Allegri risulta di nuovo assente da Correggio. Circa i punti d'attrazione dell'artista in Roma, il Longhi indica, più che i dipinti di Melozzo ai Santi Apostoli o la cappella decorata dal Mantegna in Vaticano, la Stanza raffaellesca della Segnatura, specie per i monocromi della Scuola d'Atene,

(Dall'alto) Particolare del lato nord, col caminetto, e del lato ovest della Camera della badessa in San Paolo di Parma (si vedano, inoltre, Tav. XVII e XVIII).

la Cacciata d'Eliodoro e la Liberazione di san Pietro nella seconda Stanza, per i problemi luministici, e ancora — pur sempre del Sanzio — la decorazione della cappella Chigi in Santa Maria del Popolo. Ulteriore contributo di rilievo spetta al Panofsky [1961], la cui indagine sull'iconografia della Camera ha rivelato una coincidenza non casuale con il concetto figurativo della Segnatura, già precisato da Chastel (si veda 'Classici dell'Arte - 4', n. 85), individuando una complessa simbologia, comprendente non solo le 'virtù' caratterizzanti la badessa Piacenza e l'uomo in generale (lo speculum morale), ma i quattro elementi (speculum naturale) e la divinità (speculum doctrinale): con che lo stacco dell'ideazione correggesca (si può infatti credere — come accennato qui sopra — che l'Allegri abbia condizionato l'eventuale 'programma' dell'Anselmi alle suggestioni avute in Roma) dalla cultura locale del tempo — a cominciare dai freschi dell'Araldi, anteriori di soli quattro anni, nella sala attigua alla Camera — appare netto. Lo conferma, del resto, il modo stesso tenuto dal Correggio — mediante artifici, mediante il pergolato vimineo e i nastri che, al centro, lo legano alle verzure — per ritrovare l'unità spaziale, lo spazio cubico proporzionato che sono quelli stessi che regolano la vicenda strutturale della Segnatura.

Mentre si rinvia alle trattazioni particolareggiate, qui di seguito, l'esame di come i pareri or ora accennati si siano riflessi sull'interpretazione dei singoli elementi figurativi, sembra utile notare il senso di alcuni dei motti scolpiti sulle pareti e sul caminetto, motti di grande interesse [Panofsky] per intendere la posizione polemica della badessa nei confronti dell'autorità ecclesiastica onde difendere l'indipendenza del proprio monastero. I motti sono sempre di estrazione classica e dànno indizio dei valo-

ri propugnati e degli interessi sentiti dal circolo umanistico che gravitava attorno a madre Piacenza. Così, appunto, "SVA CVIQVE MIHI MEA", oppure "IOVIS OMNIA PLENA" (Virgilio, Egloghe, III, 60): il primo, in funzione ovviamente contestataria; il secondo, di tono nettamente neoplotinico, del neoplotinismo mediato dal Ficino in ambiente tosco-romano, e cioè: Giove, la divinità, la luce, riempie ogni cosa. Il motto "SIC ERAT IN FATIS" (Ovidio, Fasti, I, 481) postula quanto meno una convinzione non ortodossa rispetto alla fede cristiana; un'altra scritta, "OMNIA VIRTVTI PERVIA", sulla porta dello stanzino, appare non citazione dai classici, ma coniata per l'occasione e, mi sembra, ancora da collegare alla cultura neoplotinica ficiniana; infine, sul caminetto, è scritto: "IGNEM GLADIO NE FODIAS" (nella stanza dell'Araldi sta scritto, invece: "TRANSIVIMVS PER IGNEM ET AQVAM", e la data 1514), che riporta il proverbio pitagorico significante, come già del resto chiariva l'Affò, il disprezzo per coloro che volevano appunto cercare di sopraffare il centro umanistico sorto attorno alla badessa. Mentre la simbologia generale dell'ambiente non può non collegarsi alla leonardesca Sala delle Assi nel Castello Sforzesco di Milano, l'idea dell'architettura fittizia appare ristrutturata in senso plotinico, postulando il trapasso e il rapporto fra naturale umano e divino, del resto chiaramente espresso nei motti riferiti qui sopra.

L'ambiente subì modifiche nel 1856, con l'apertura dell'ingresso a doppia colonna nella parete ovest; gli arazzi, se sono esistiti, devono essere scomparsi fino dal '500. Nel 1930 il Ricci notava affioramenti di muffe e rifacimenti; l'umidità ha soprattutto danneggiato l'affresco sulla cappa del caminetto. Restauri abbastanza recenti hanno in parte rimediato a tali guasti; ma saggi condotti ultimamente (1970)

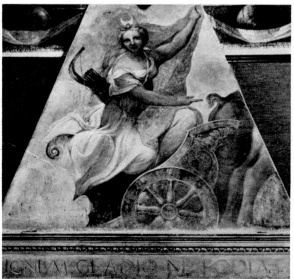

47 [Tav. XXI]

hanno rivelato — oltre all'esistenza dell'intonaco originario nella zona inferiore, sotto alla ripassatura ottocentesca, grigia e opaca — che i toni squillanti della stesura originaria giacciono obliterati sotto uno strato di polvere e che la verzura reca tuttora numerose ripassature.

Le descrizioni contenute nelle due 'schede' seguenti sono ordinate partendo dal primo elemento figurativo a sinistra, nella parete nord, e proseguendo in senso orario.

Ovati

45 *110×90* 1519

A-P. PUTTI.

Le dimensioni suddette si riferiscono alla media di ciascun ovato.

Secondo l'interpretazione del Barilli, si elenca il significato attribuito ad alcuni dei gruppi: la società che si corrompe, nella coppia di putti in cui uno cerca di colpire l'altro [A]; l'arte, nel putto con la maschera [C]; l'agricoltura, in quelli che raccolgono e mangiano frutta [D, P]; la fede religiosa, in quello col veltro [G]; la guerra, in quello con le armi [H, I, J]; la caccia, in quelli con il cane, i corni, la testa di cervo [L, M, N, O]. Il Panofsky, invece, collega coerentemente il significato delle lunette a quello dei Putti negli ovati, individuando nelle quattro pareti la simbologia degli *specula*: *naturale, morale, doctrinale*.

Lunette

46 100×170 1519

A-P. FIGURE SIMBOLICHE.

Si dànno anzitutto le interpretazioni fornite dal Ricci: la Fortuna [A], Minerva [B], le Grazie [C], Adone [D], il *Genius populi Romani* (o il *Bonus eventus*) [E], l'Africa (o la Terra, o l'Estate) [F], Giunone castigata per la ribellione a Giove [G], Vesta [H], un filosofo (la Filosofia?) [I], il Tempio di Giove [J], le Parche [K], Ino leucotea con Bacco fanciullo [L], Cerere [M], Satiro (o Pan) [N], la Castità [O], e la Verginità [P]. Seguono le identificazioni del Panofsky (si omettono quelle concordanti con le suddette): Bellona [B], la Virtù [D], un genio (l'elemento liquido, l'acqua) [E], la Terra (l'elemento terrestre) [F], Giunone (ma come elemento aereo) [G], Vesta (ma come l'elemento fuoco) [H], Saturno [I], Rea Silvia [L], Diana lucifera [M], Pan [N], l'Integrità [O], e la Castità [P]. Elenchiamo infine le fonti classiche indicate dal Ricci per i singoli gruppi: [A] - una moneta di Domiziano o Claudio I o Vespasiano o Marc'Aurelio ovvero Caracalla; [B] - una moneta repubblicana riprodotta da V. Gabella nella medaglia di C. Castaldo; [C] - la medaglia di Giovanna Albizzi Tornabuoni o quella di Giovanni Pico della Mirandola, eseguite da Niccolò Fiorentino (attingendo, come noto, al gruppo marmoreo ora nella sagrestia del Duomo di Siena o a una sua copia); [D] - una statua romana che già il Guazzotti e Cristoforo di Geremia avevano tradotto, come allegoria della costanza, in medaglie; [E] - una moneta di Tito o una di Nerone; [F] - una moneta di Adriano; [H] - una moneta di Claudio o Vespasiano, Domiziano, Marc'Aurelio oppure Caracalla; [M] - una moneta di Faustino Seniore; [O] una moneta di Claudio I con la *Spes Augusta*.

Caminetto

47 200×227 1519

DIANA SUL CARRO.

La figurazione è stata naturalmente messa in rapporto con l'attività venatoria della dea. Il Ricci ne ha indicato come probabile fonte un rilievo classico a Mantova, appunto con Diana sulla biga.

48 91×73 *1522

MADONNA CON IL BAMBINO E SAN GIOVANNINO (Madonna di Casalmaggiore). Francoforte, Städelinstitut.

Acquistata nel 1889 a Milano da H. Thode [1891] (che la dona allo Städel) e da lui identificata col dipinto già alla Galleria di Modena e ivi detto "di Casalmaggiore" dalla località donde fu tolto per l'occupazione di Francesco I (1646); da Modena l'opera va in Francia; poi, in Inghilterra; quindi, in Italia presso una signora inglese. L'attribuzione del Thode, confermata dal Gronau [1907] con riferimento al 1515 circa, viene messa in dubbio dal Ricci [1930], il quale sottolinea l'incertezza delle antiche descrizioni della "Madonna di Casalmaggiore" lasciate dallo Scannelli [1657], da G. F. Pagani [1770] e dal conte della Palude [1784]; la cronologia proposta dal Ricci stesso è verso il 1515, e lo studioso nota che il dipinto risulta molto restaurato. Il Bianconi [1960] lo relega fra le opere dubbie. Il Popham [1957] collega il dipinto al disegno (cat.31 verso) del British e, quindi, al tempo del San Giovanni Evangelista (n. 49-54); siamo perciò verso il 1522, dato che nel disegno figurano anche due schizzi per le Sibille del fregio iniziato in quell'anno. Nonostante le gravi sculiture che ne hanno del tutto squilibrata la bilancia tonale, l'opera appare autografa, e certo posteriore al viaggio romano, sia per la ricchezza dell'impianto piramidato raffaellesco, sia per il movimento del manto, e per l'apertura stessa del paesaggio, nel quale anche l'antica grotta leonardesca si è spalancata in occhio aperto sul cielo.

Affreschi di San Giovanni Evangelista a Parma

Secondo i libri del monastero parmense di San Giovanni Evangelista, il 6 luglio 1520 l'Allegri riceveva trenta ducati d'oro quale primo versamento del compenso per i lavori da lui eseguiti nella chiesa; del 23 gennaio

45 A

45 B

45 C

45 D

45 E

45 F

45 G [Tav. XIX]

45 H

45 I

45 J

45 K

45 L

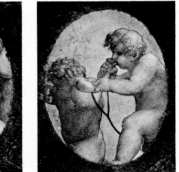

45 M

45 N

45 O

45 P

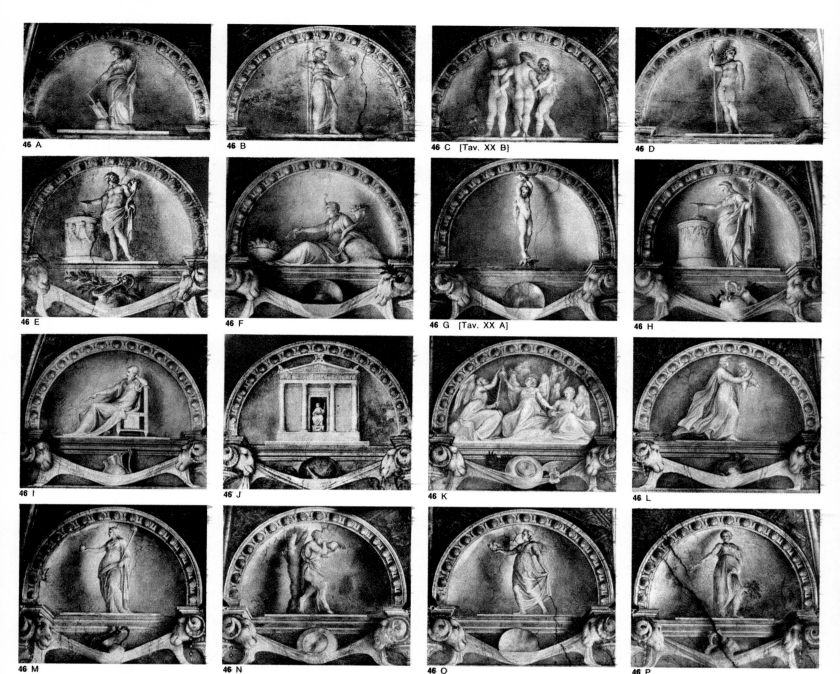

46 A

46 B

46 C [Tav. XX B]

46 D

46 E

46 F

46 G [Tav. XX A]

46 H

46 I

46 J

46 K

46 L

46 M

46 N

46 O

46 P

1524 è l'ultimo dei pagamenti per la somma complessiva di centotrenta ducati, versati in più riprese. Tale attività concerne varie zone dell'edificio: dalla lunetta con san Giovanni Evangelista giovane in atto di scrivere, dipinta nel braccio nord del transetto, sopra la porta che anticamente immetteva nel chiostro, la prima opera eseguita del complesso; alla cupola, naturalmente frescata dall'alto verso il basso; seguirono quindi il tamburo e i pennacchi; poi la zona absidale (estate - novembre 1522); infine, il fregio lungo la navata e nell'entradosso del prospetto (verso l'interno), dopo il 1° novembre 1522.

Dopo le notazioni del Mengs postulanti il nesso fra il contenuto stilistico del ciclo e il soggiorno a Roma dell'Allegri, modernamente A. Venturi [1926] aveva ribadito i nessi con Raffaello e Michelangelo, ignorati però dal Ricci [1930], che tornava a parlare di mantegnismo. Scorge invece un "timbro raffaellesco" e "desunzioni" dalla volta michelangiolesca della

Cappella Sistina il Bottari [1961], giudicando anzi queste ultime "alquanto sforzate". La Ghidiglia Quintavalle [1960] puntualizzava tali riferimenti, sia al Buonarroti (l'idea degli Apostoli, nei pennacchi, come desunta dal cartone della *Battaglia di Càscina*, presente a Firenze né certo ignorato dall'Allegri in un viaggio a Roma), sia a Raffaello, per esempio con la *Visione di Ezechiele* (Pitti); la studiosa avanza inoltre la supposizione d'un secondo viaggio nella città papale prima dell'inizio della cupola in esame, ma la tesi non appare del tutto probabile perché, se si considerano i tempi indicati per l'andata a Roma nel corso del 1518 e il ritorno a Correggio verso l'inizio del '19 e il soggiorno a Parma fino al settembre circa, per i lavori in San Paolo, rimangono appena pochi mesi entro i pagamenti di luglio relativi a San Giovanni Evangelista, e bisogna pur considerare il tempo richiesto dagli studi per la nuova impresa, che doveva avere impianto diverso da quello tanto ridotto di un privato cenacolo

umanistico come era la Camera di San Paolo (tanto può bastare, forse, a chiarire la differenza delle due soluzioni offerte dall'artista, e il divario culturale delle scelte: cioè, i riferimenti alla volta della Sistina in misura ben maggiore di quanto non fosse avvenuto a San Paolo). Quanto alla grafia — il tratteggio a tempera sulla campitura a fresco — che torna ovunque operi il Correggio in San Giovanni Evangelista, essa ha un preciso senso ideologico: è da un lato il rifiuto della forma definita (platonica) di Michelangelo, dall'altro il segno del rapporto continuo tra persone, cose e atmosfera, caratteristico dell'esperienza plotinica del Correggio. Quanto all'iconografia generale del ciclo, nella navata sono proposti il sacrificio pagano e quello ebraico; nel presbiterio, riservato agli ecclesiastici, il sacrificio cristiano; nel tamburo della cupola, intreccio fogliato e animali simbolici degli Evangelisti postulano la relazione plotinica fra mondo naturale ed esseri animati; la cu-

pola — priva di lanterna, e perciò senza luce esterna — s'illumina della luce emanante da Cristo (un lume ideologico, insomma). Anche la lunetta col Battista può essere indicativa d'un concetto della storia quale sviluppo interno (come in Giorgione e Leonardo): san Giovanni, qui presentato nella giovinezza, si ritrova vecchio nella cupola, al termine della sua vicenda, intento ad ammirare la calata del Redentore.

Accennata più sopra la cronologia interna del ciclo, nella trattazione particolareggiata, qui di seguito, si adotta un ordine che, pur discorde da tale sequenza, facilita l'esposizione.

Cupola

49 🔲 ✛ 940×875 📋 ⁞
1520-21

A. VISIONE DI SAN GIOVANNI A PATMOS.

La composizione è compresa nella calotta della cupola, al disopra del tamburo corrente fra

due cornici, che in origine erano dorate, come risulta dai pagamenti versati al Correggio (*Documentazione*, 1520-23). Si devono alla Ghidiglia Quintavalle le notazioni più esaurienti sul problema dell'architettura della

48

(Sopra, da sinistra) Interno della chiesa di San Giovanni Evangelista a Parma: la navata, verso l'altare. - Veduta complessiva della cupola (si veda anche Tav. XXIII). - (Sotto) Figure di cherubi tra le nubi, nella cupola di San Giovanni Evangelista.

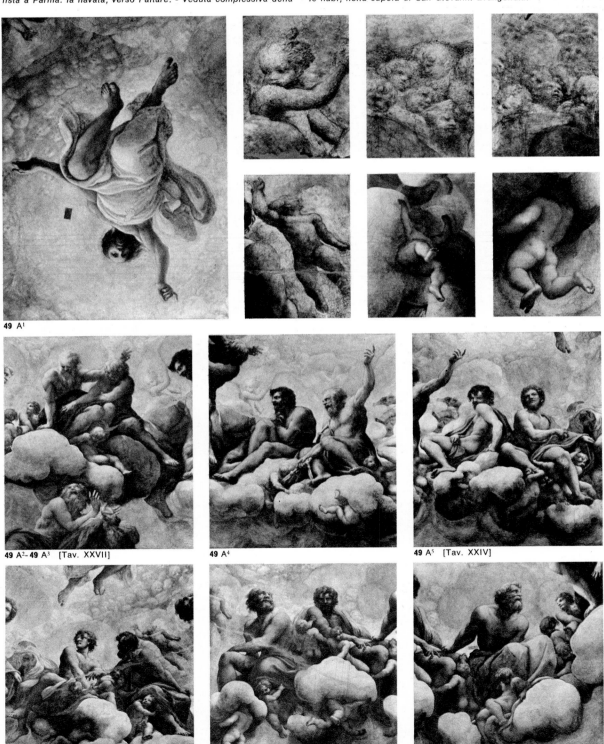

49 A¹

49 A²-49 A³ [Tav. XXVII]

49 A⁴

49 A⁵ [Tav. XXIV]

49 A⁶ [Tav. XXV]

49 A⁷

49 A⁸ [Tav. XXVI]

cupola: il 4 settembre 1510 B. Zaccagni si era impegnato a costruire la chiesa di San Giovanni Evangelista; il lavoro si svolge secondo le date reperite nelle varie parti dell'edificio: 1510, apposto sui piloni tra la nave maggiore e il transetto; 1514, sul capitello del primo pilastro a sinistra dell'ingresso e sul fregio del transetto dallo stesso lato; nel '18 si dà inizio alla cupola, e, poiché la costruzione si prolunga fino al 1519, la studiosa ipotizza che il Correggio stesso abbia fornito i disegni in funzione dei propri affreschi. Cioè, il pittore volutamente richiede una tazza bassa e oscura, con piccoli occhi su un basso tamburo e, soprattutto, senza lanterna, per creare una grandiosa prospettiva del tutto illusoria, una struttura architettata da figure, la cui idea non doveva essere molto lontana da quella di Raffaello per la cappella Chigi in Santa Maria del Popolo a Roma (1516), da cui il tema della cupola parmense prende ispirazione, come mostra anche il concetto del pozzo scorciato su cui si affaccia l'Eterno. Peraltro la questione dell'attività del Correggio nell'ambito dell'architettura può essere risolta soltanto per via d'ipotesi, attraverso disegni pubblicati dal Popham, come quello di Oxford con un edificio di planimetria bramantesca, che lo studioso collega a un primitivo progetto per la Steccata di Parma, e quello del British Museum, che costituisce la rielaborazione di una tematica tipicamente medievale con transetti absidati; d'altronde il pittore fu giudice dei progetti per la Steccata, appunto, e che vi fosse qualificato lo dimostra una 'prima idea' — con evidenti richiami al Peruzzi — per il fregio lungo la nave di San Giovanni Evangelista, conservata in un foglio al Louvre.

Tema, dunque, della cupola in argomento è la visione di Cristo avuta dall'evangelista Giovanni (Apocalisse, I, 7: "Ecco che egli viene con le nubi, e lo vedrà ogni occhio ..."), come riconobbe il Bianconi; precedentemente si credeva trattarsi dell'ascensione del Redentore fra gli Apostoli. Del resto, la figura di san Giovanni risulta malamente visibile dal pavimento (che sottostà ventinove metri), in gran parte celata dalla cornice superiore del tamburo: ciò, in quanto il punto di vista stabilito per l'insieme non è la navata o l'asse sotto la cupola, bensì la zona dell'originario presbiterio: una vista, insomma, 'riservata' al clero, ai monaci committenti. In effetti la figura di Cristo scende dall'alto delle nubi, in un pozzo di cherubi trascoloranti (come nella Madonna sistina di Raffaello, a Dresda) dall'oro all'arancio, verso l'evangelista, posto sul lembo di terreno sotto il cercine michelangiolesco degli Apostoli, dipinti, questi, con una tessitura cromatica e un frangersi di luci legati alle ricerche di Raffaello. La composizione si organizza secondo sette cerchi: uno include la figura di Cristo; gli altri sei comprendono le figure degli Apostoli, a coppie, meno quella, isolata, del vecchio Giovanni; a loro volta gli Apostoli, contrapponendosi, si collegano l'uno con l'altro formando una sorta di catena intrecciata.

Le incertezze sull'interpretazione del tema dipendono in par-

49 B¹

49 B²

49 B³

49 B⁴

te anche dai gravi danni subiti dall'affresco. Alla fine del '700 gli occupanti francesi spogliarono del rivestimento di rame la cupola, lasciandola in preda alle infiltrazioni di umidità. Nel 1894 il Ricci faceva montare centoventi lampade elettriche sul cornicione, e dal 1900 al 1901 si procedette a una pulitura, da parte di V. Bigoni, eseguita con mollica di pane e acqua, finché un'apposita commissione non la fece interrompere, dato che si stavano asportando i tocchi a tempera sovrapposti dal Correggio all'affresco. Inoltre, come è stato rilevato nel corso di ulteriori interventi nel 1959-62, le crepe che percorrono la tazza, dovute principalmente ad assestamenti del terreno, vennero riempite con un intonaco a tinteggiatura cupa. Nel 1927 iniziava una nuova serie di restauri, a opera del Venturini Papari, intesi a consolidare le zone d'intonaco cadenti, fissandole con grossi chiodi a testa larga, e a ridipingere varie figure, stendendovi vernice scura e, a volte, cerosa. Nel corso dei più recenti lavori, suddetti, compiuti da R. Pasqui sotto la guida di A. Ghidiglia Quintavalle e in stretta collaborazione con l'Istituto centrale del restauro, si è in primo luogo verificato il sovrapporsi alla pittura originaria di uno strato oleoso misto a fumo, oltre a determinare i danni provocati dal Bigoni. Il Correggio era ricorso, per l'intonaco, a strati di sabbia piuttosto spessi, sicché la superficie dipinta si cretta e tende a staccarsi dal muro. Le parti fissate nel 1900-01 sono state staccate di nuovo, e riapplicate eliminando le tele impiegate dai precedenti restauratori, che sporgevano ai bordi di contatto, e l'intonaco, trasudando collante, rendeva opachi i colori all'intorno. Le analisi preliminari consentirono di scoprire i cherubini circondanti Cristo [A1], o meglio di riconoscerne alcuni che, scomparsi sotto il sudiciume, rendevano incomprensibili gli atteggiamenti di altri rimasti visibili; così, l'andamento dei capelli ha accertato sul moto in discesa del Redentore; il cielo, già cupamente notturno, è tornato a splendere per il chiarore emanante da Cristo; per gli Apostoli — non più cupi, quasi illeggibili: "santi carbonai", come erano stati ironicamente definiti — si fornisce qui la tradizionale identificazione: a partire dalla figura sovrastante, sulla sinistra, l'evangelista Giovanni [A2] (e procedendo in senso anti-orario): Bartolomeo e Mattia [A3], collegati dall'intrecciarsi dei gesti e degli sguardi, che a loro volta rinviano alle figure vicine, compresa quella del Redentore; poi, dopo la pausa di un putto emergente dalle nubi violette, Paolo e Pietro [A4],

quest'ultimo con le enormi chiavi; Filippo e Taddeo [A5], il secondo sorretto da tre angeli, contrapposti entro il rigoroso blocco di una piramide ideale; Giacomo Minore, cui si rivolge Tommaso [A6] dal profilo in controluce; segue una nuova pausa, dei due cherubi che si baciano; quindi si scorgono Andrea e Giacomo Maggiore [A7], alle cui membra si aggrappano tre putti; infine, l'isolato Simone [A8], avvolto in un manto, roseo come quello di Cristo. Dagli esami eseguiti, risulta che non esiste sinopia sull'arriccio.

B. Fra le due cornici del tamburo corre un fregio monocromo, già coperto da un'uniforme cortina di sudicio nerastro, con affioramenti biancastri di muffe: su consiglio di C. Brandi, nel corso dei recenti restauri si scopriva che sotto tale cortina l'affresco originale era integro, e risultò poi eseguito con l'integrazione, sul tratteggio, di spruzzi di colore bianchi e bruni, stesi con mano veloce, che vivificano straordinariamente il risultato. Il fregio è costituito da simboli degli evangelisti abbinati — angelo e leone [B1], an-

gelo e aquila [B2], toro e aquila [B3], leone e toro [B4] — che si ripetono fra nastri, girali, racemi, corolle e altri motivi vegetali in capriccioso intreccio.

Pennacchi

Si collegano direttamente alla cupola quale logica premessa tematica e formale. Ciascuno dei quattro elementi contiene un evangelista e un dottore della Chiesa, con i relativi simboli, due angeli ripartiti fra gli angoli superiori, e altri tre nella zona inferiore, inseriti come a sorreg-

Disegno (Parigi, Louvre) per la figurazione centrale del n. 49 B² (sopra) e per quella del n. 49 B¹.

gere le nubi ove seggono i personaggi principali. Costituiscono la parte più danneggiata del ciclo, tanto che il Ricci [1930] preferiva affidarne la testimonianza grafica alle copie acquerellate con dolciastro viscidore da P. Toschi, G. B. Callegari e C. Raimondi (Parma, Galleria).

Le indicazioni fornite per il primo pennacchio (partendo da quello di nord-est e proseguendo in senso orario) valgono anche per i tre rimanenti.

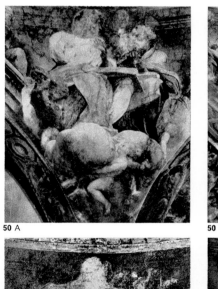

50 A

50 B

50 C

50 D [Tav. XXVIII]

(A destra) Due dei putti che, a coppie, sovrastano gli arconi della cupola di San Giovanni Evangelista. - (A destra, dall'alto) Copie all'acquerello dei pennacchi (n. 50 A-D), attualmente nella Galleria Nazionale di Parma.

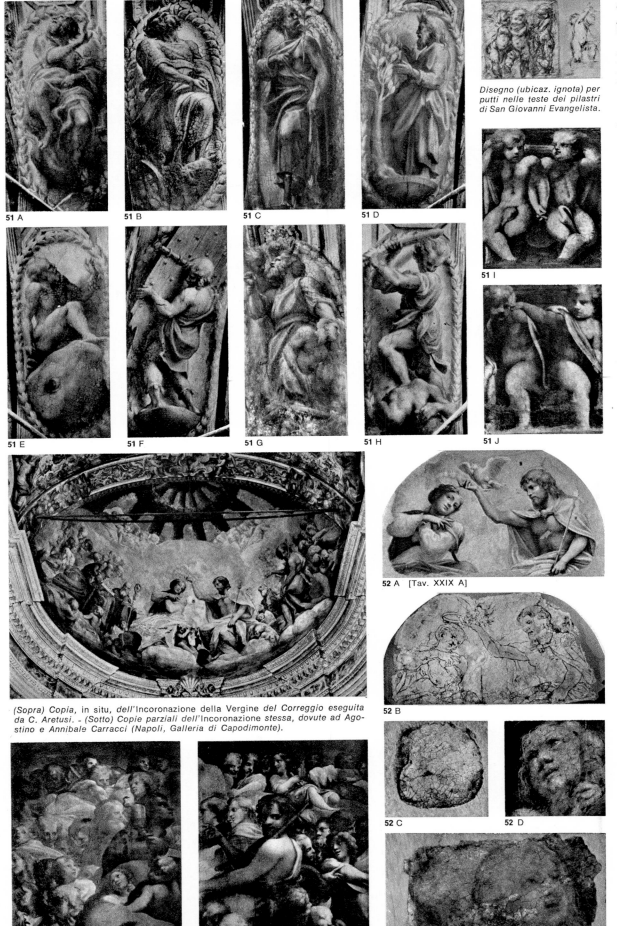

51 A **51 B** **51 C** **51 D**

51 E **51 F** **51 G** **51 H**

Disegno (ubicaz. ignota) per putti nelle teste dei pilastri di San Giovanni Evangelista.

51 I

(Sopra) Copia, in situ, dell'Incoronazione della Vergine del Correggio eseguita da C. Aretusi. - (Sotto) Copie parziali dell'Incoronazione stessa, dovute ad Agostino e Annibale Carracci (Napoli, Galleria di Capodimonte).

52 A **[Tav. XXIX A]**

52 B

52 C **52 D**

52 E

50 ⊞ ⊕ 450×450 / 1521 ▤ ⦂

A. SANTI GIOVANNI EVANGELISTA E AGOSTINO.

L'atteggiamento dei due personaggi, intenti a contare sulle dita, richiama quello del Giona di Michelangelo nella Cappella Sistina. Gravemente danneggiato, specie la figura dell'evangelista.

B. SANTI GEROLAMO E MATTEO.

I danni più gravi concernono l'angelo, attributo dell'evangelista.

C. SANTI MARCO E GREGORIO.

È il pennacchio più gravemente danneggiato.

D. SANTI AMBROGIO E LUCA.

Sottarchi

51 ⊞ ⊕ 1522* ▤ ⦂

La cupola poggia su quattro pilastri, uniti da arcate; nei sottarchi di queste, alle basi, si trovano figure a monocromo del Vecchio Testamento, affrescate entro cornici vegetali, le quali simulano di trovarsi sovrapposte sui rosoni stendentisi sulla rimanente superficie dei sottarchi stessi. Un anticipo, dunque, dal lato tematico, delle figurazioni espresse nei pennacchi. Seguendo l'ordine adottato per queste ultime, gli otto personaggi raffigurati sono: Daniele [A], Elia [B], Aronne [C], Mosè [D], Giona sulla bocca della balena [E], Sansone che divelle la porta di Gaza [F], Abramo in atto di sacrificare il figlio Isacco [G], Caino che uccide Abele [H].

Il Ricci considera autografe anche le coppie di angeli abbracciati, pure a monocromo, sui peducci dei sottarchi stessi, evidente ricordo di quelli che si trovano ai lati dei troni dei Veggenti, nella volta della Sistina. Ciò stesso fa pensare a una ideazione del Correggio, ma la stesura rivela piuttosto la mano del Ròndani [I¹ e I²].

Abside

52 ⊞ ⊕ 1522 ▤ ⦂

Nel 1587 l'abside venne demolita per ampliare la chiesa, e ricostruita in posizione più arretrata: in tal modo l'ornamentazione condotta dal Correggio andò in gran parte perduta. L'anno precedente il pittore bolognese C. Aretusi aveva ricevuto l'incarico di copiare l'affresco originale; poi, servendosi della copia, lo riprodusse sul nuovo catino, con l'aiuto di E. Pio e di G. A. Paganino. Si deve ricordare che alcuni anni prima (1580 c.) Annibale Carracci aveva già dipinto copie dell'abside (Parma, Galleria), isolando zone che potessero fare composizione a sé, senza preoccuparsi di eventuali accostamenti per la ricostituzione dell'insieme. Il Malvasia e il Ruta asseriscono che fu l'Aretusi stesso a incaricare Annibale e, con lui, Agostino Carracci di riprodurre l'affresco in varie tele; presumibilmente la notizia si riferisce ad altre opere, forse quelle che, rimaste nel palazzo del Giardino a Parma fino al 1734, passarono poi a Napoli, dove sussistono nella Pi-

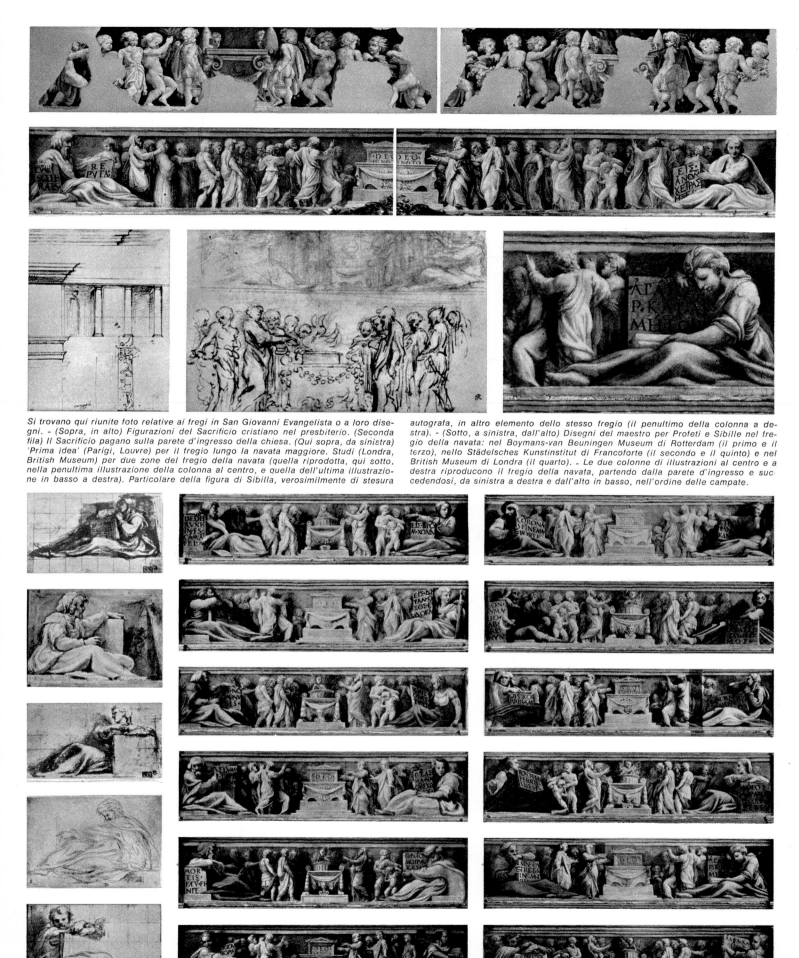

Si trovano qui riunite foto relative ai fregi in San Giovanni Evangelista o a loro disegni. - (Sopra, in alto) Figurazioni del Sacrificio cristiano nel presbiterio. (Seconda fila) Il Sacrificio pagano sulla parete d'ingresso della chiesa. (Qui sopra, da sinistra) 'Prima idea' (Parigi, Louvre) per il fregio lungo la navata maggiore. Studi (Londra, British Museum) per due zone del fregio della navata (quella riprodotta, qui sotto, nella penultima illustrazione della colonna al centro, e quella dell'ultima illustrazione in basso a destra). Particolare della figura di Sibilla, verosimilmente di stesura

autografa, in altro elemento dello stesso fregio (il penultimo della colonna a destra). - (Sotto, a sinistra, dall'alto) Disegni del maestro per Profeti e Sibille nel fregio della navata: nel Boymans-van Beuningen Museum di Rotterdam (il primo e il terzo), nello Städelsches Kunstinstitut di Francoforte (il secondo e il quinto) e nel British Museum di Londra (il quarto). - Le due colonne di illustrazioni al centro e a destra riproducono il fregio della navata, partendo dalla parete d'ingresso e succedendosi, da sinistra a destra e dall'alto in basso, nell'ordine delle campate.

nacoteca di Capodimonte. Mentre da tali copie si valuta anche meglio la povertà dell'affresco esistente, da quest'ultimo si ricava la struttura della composizione originale. L'incoronamento della Vergine si svolge alla presenza d'una numerosa corte celeste — beati, angeli, cherubini guizzanti — e dei santi Giovanni Evangelista e Benedetto, a sinistra del gruppo principale, di san Mauro e del Battista, sull'altro lato. Le figure campeggiano contro una 'spalliera' di nubi, e alcune vi affondano, fondendosi con essa; dietro le nuvole, dal sommo dello spazio lunato si diramano otto costoloni vegetali, formanti un duplice ordine di sette aperture sul cielo. Naturalmente, anche di recente, è stato addotto il ricordo del Mantegna; ma che l'idea compositiva derivi da un concetto autonomo emerge dal fatto che il pergolato riveste soltanto una funzione plastico-spaziale, non più di costruire un'edicola teatrale come nella mantegnesca *Madonna della Vittoria* (Louvre); cosicché il riferimento potrà concernere il solo Raffaello, in particolare l'ornamentazione della Farnesina. Gli studi del Popham mostrano chiaramente, dai disegni reperiti, la complessa elaborazione che precedette la scelta dell'impianto generale, da un momento di ricerche più manieristico in senso toscano (foglio al Louvre e un altro a Oxford) a uno più legato, appunto, alla cultura raffaellesca.

Dell'opera autografa sussistono alcuni frammenti. Uno [A] concerne la metà superiore delle due figure principali: la Vergine e Cristo che l'incorona, presente la Colomba (cm. 212× 342). Si conserva nella Galleria di Parma, dove nel 1937 si è proceduto a staccarlo dal muro (col quale era stato segato dall'abside), per il trasferimento su tela; in quell'occasione, Armando Quintavalle ebbe modo di scoprirne la sinopia (Parma, Biblioteca Palatina [A¹]), condotta con eccezionale sensibilità. Il dipinto è stato restaurato di recente da R. Pasqui, liberando, da sotto le estese ridipinture, i colori e la tessitura originali; fermo restando che alcune zone del manto della Vergine e di quello di Cristo hanno perso le velature a tempera.

Gli altri frammenti consistono di brani, presentanti — due una testa d'angelo ciascuno (cm. 48×48 [B]; 37×33 [C]), e uno una coppia di teste analoghe (50×71 [D]). Le opere furono viste dal Mengs e dal Lanzi a Roma presso i Rondanini; poi, a Londra, appartennero alle collezioni Dudley e Mond; attualmente si trovano nella National Gallery della stessa città.

Veduta complessiva dell'ornamentazione della crociera del presbiterio di San Giovanni Evangelista. L'ideazione del maestro e un suo intervento nella stesura riguardano le sole 'grottesche' dei costoloni.

Fregi

53 ⊞ ⊘ ⎯⎯ 1522* ▤ ⋮

Anzitutto si esamina quello, già accennato, stendentesi lungo la nave maggiore, all'altezza dei piedritti dove originano gli archi del soffitto (e che prosegue sull'entradosso all'interno della facciata). L'impegno ad attendervi fu sottoscritto dal Correggio nel 1522; ciononostante la critica ha per lungo tempo seguito l'opinione di padre Resta, secondo cui l'Allegri avrebbe fornito i disegni, ma la stesura a fresco sarebbe interamente opera del Ròndani e di un misterioso Torelli o Tonelli. Tuttavia, nel catalogo della mostra del Correggio (1935) si prospetta l'eventualità d'un riferimento diretto al maestro anche per la traduzione pittorica. Lo Zamboni, poi [1958], identificò nel penultimo campo a destra, sulla navata, una sezione (con figura di Sibilla assisa [A]) da assegnare, con molta attendibilità, al Correggio, mentre per le altre parti lo studioso distingue gli interventi del Ròndani da quelli del Torelli. I rilievi dello Zamboni trovarono consenzienti, oltre al Bottari, anche la Ghidiglia Quintavalle [1960], d'accordo pure nel respingere l'opinione di Popham [1957], per il quale invece tutta l'affrescatura del fregio si deve al Correggio.

Lunetta

54 ⊞ ⊘ 79×160 *1520 ▤ ⋮

SAN GIOVANNI EVANGELISTA GIOVANE.

Per l'ubicazione, si veda più sopra, nella parte generale della presente trattazione. L'urgenza dei ricordi romani ha suggerito [Bottari] che si tratti d'un lavoro precedente, dal lato cronologico, ogni altro nella chiesa di San Giovanni Evangelista.

Inerisce la chiesa stessa anche l'ornamentazione della cappella Del Bono, da Popham ascritta al Correggio: per questa si veda nell'elenco delle opere attribuite (n. 111).

55 ⊞ ⊘ 160×110 1523* ▤ ⋮

MADONNA DELLA SCALA. Parma, Galleria.

Si trovava sulla porta settentrionale della cinta urbana di Parma, nella faccia interna; quando Paolo II decise di demolire la struttura muraria (1545), l'affresco venne inserito in un oratorio, detto "della Scala" (donde la denominazione suddetta); nel 1812, alla costruzione della "barriera", il dipinto venne trasportato nella sede odierna e sottoposto a restauro (tradottosi in rifacimenti e sovradipinture arbitrarie). La recente pulitura (1968), eseguita da R. Pasqui, ha eliminato la trabeazio-

Alla Ghidiglia Quintavalle [1965] si deve il giusto riferimento al Correggio della parte di fregio lungo le pareti del presbiterio, già nascoste dalla cantoria e dall'organo collocati nel 1636 [B]. La studiosa ha indicato un documento del 25 ottobre 1525 [in Pungileoni] relativo al compenso ottenuto dall'Allegri per quest'altro lavoro, e presumibilmente anche per i costoloni della crociera del presbiterio (dove sembrerebbe, invece, di riconoscere la traduzione pittorica del Ròndani).

ne neoclassica, lasciando emergere il colore originario (e tracce dei verdi tralci, a tempera, che circondavano il gruppo). La "Nostra Donna con il figliolo in braccio" fu vista e ammirata dal Vasari nel 1542; la citano poi il Barri [1671], lo Zappata [ms. del sec. XVIII; Parma, Biblioteca Palatina], il Baistrocchi [1780] e il Mengs [1782]. Dei critici moderni, il Gronau [1907] l'assegna al 1525 c.; il Venturi [1926], al 1518-19, concordi il catalogo della mostra correggesca (1935) e Armando Quintavalle [1939], mentre il Ricci [1930] pensa al 1522 circa, consenziente il Bianconi. Dopo il recente intervento conservativo, la Ghidiglia Quintavalle [1968] la riferiva al 1523-24, avvertendo i ricordi di *Madonne* raffaellesche come quella *di Foligno* o *della seggiola*. La ripresa di esperienze manieristiche, pure ravvisabile, induce a propendere per il 1523 circa.

56 ⊞ ⊘ 160×186 *1524-26* ▤ ⋮

COMPIANTO SU CRISTO MORTO (Deposizione). Parma, Galleria.

Oltre a Cristo, sono raffigurati Maria Cleofa, Marta, la Vergine, la Maddalena e, dietro, sulla scala, Giuseppe d'Arimatea. Proviene, assieme al *Martirio di quattro santi* (n. 57), dalla cappella Del Bono in San Giovanni Evangelista di Parma; le due

55 [Tav. XXII]

opere fecero parte del bottino napoleonico (1796) e vennero trasferite in Francia (dove la presente è stata spulita); alla restituzione (1816) entrarono in Galleria. Il Popham [1957] fa presente che le cornici per i due dipinti, superstiti nella cappella Del Bono, misurano cm. 158 ×184: meno, cioè, delle attuali dimensioni dei dipinti, per i quali tuttavia non è forse da escludere una riduzione su ogni lato. Oltre al guasto suddetto, l'opera rivela lacune nel fondo e uno strappo mal riparato sul dorso della mano della Vergine, prodotto nel 1792 durante la rimozione eseguita per fare sì che G. Turchi potesse trarne una copia. Discordi le proposte per la cronologia: 1522 [Gronau], 1523-24 [Ricci], 1520-23 [Catalogo della mostra correggesca, 1935; A. Quintavalle, 1939], 1522-24 [Longhi, 1958], 1522 circa [Bianconi], 1523-26 [Bottari], 1524-26 [Ghidiglia Quintavalle, 1962]. Interessa notare, nella figura di Giuseppe d'Arimatea, i rapporti col "Tiziano più giorgionesco" [Ghidiglia Quintavalle], mentre in un disegno preparatorio (Londra, British Museum) si scorge "un michelangiolismo alla Sebastiano del Piombo".

57 ⊞ ⊘ 160×185 *1524-26* ▤ ⋮

MARTIRIO DI QUATTRO SANTI. Parma, Galleria.

I santi in atto di venire uccisi dai carnefici sono Placido e Flavia; gli altri due martiri, di cui si scorgono le spoglie al suolo, sulla destra, sotto l'angelo con la palma e la corona, sono Eutichio e Vittorino. Per l'ubicazione originaria e la vicenda successiva; si veda alla scheda precedente, restando da notare che la pulitura cui il dipinto fu sottoposto a Parigi dovette essere meno drastica che per il 'gemello', tanto da eliminare le velature. Le proposte per la cronologia avanzate dalla critica moderna tendono sovente allo stacco dal *Compianto*: 1526-28 [Gronau], 1523-24 [Ricci], 1520-23 [Catalogo della mostra correggesca, 1935; A. Quintavalle, 1939 (scorgendo interventi di collaboratori)], 1522-24 [Longhi, 1958 (indicando ascendenze al Beccafumi)], 1523-26 [Bottari ("più matura" del *Compianto*)], 1524-26 [Ghidiglia Quintavalle, 1962 (pure scorgendo nessi con la cultura manieristica)]. Il Correggio elabora ancora, qui, elementi della sua esperienza sul Beccafumi, ma al cospetto di motivi desunti da Tiziano (in particolare, da opere come il *Baccanale* del 1518-19, al Prado): caratteri che paiono anche più rilevanti qualora si confronti il dipinto col bel disegno preparatorio del Louvre.

58 ⊞ ⊘ 99×80 *1524-26* ▤ ⋮

"ECCE HOMO". Londra, National Gallery.

A fianco di Cristo, un armigero; in primo piano, la Vergine sorretta da una pia donna; nel fondo, un anziano. Risulta inventariato (n. 188) nel catalogo della galleria Doria di Roma, redatto nel 1783. La vicenda anteriore appare confusa: Agostino Carracci, incidendo (1587) un dipinto identico, dichiara il prototipo in proprietà Prati a Parma, dove lo menziona pure lo Scan-

---

54 [Tav. XXIX B]

nelli [1657]; frattanto il Bocchi [1591] citava un'opera con la stessa composizione presso i Salviati di Firenze, e fra il '7 e l'800 questa e quella dei Prati vengono continuamente confuse. Il Pungileoni [1817] asserisce che i Prati, vendendo la loro versione ai Colonna (1675-80), ne avevano trattenuta una copia, passata poi ai Dalla Rosa o Bajardi; inoltre venne insinuato che l'originale fosse emigrato in Francia [in Ramdhor, 1787], avendo i Colonna ricevuto una copia; ovvero che la stessa famiglia romana avesse acquistato non la versione Prati, bensì quella Salviati [Coppi, 1845]. Comunque, l'opera della National Gallery è pervenuta (1834) dopo essere stata in proprietà del marchese di Londonderry, che l'ebbe da lord Stewart; questi la comperò (1822 c.) a Vienna, dove l'aveva trasferita (1815) Mme Murat da Napoli; quivi l'aveva acquistata Ferdinando IV, da A. Day (1802), che a sua volta l'aveva comperata dai Colonna. Poiché, infine, il dipinto ora a Londra rivela 'pentimenti' assai persuasivi, pur corrispondendo appieno all'incisione del Carracci, si può credere che esso sia l'originale. Le proposte per la cronologia vertono sul 1525 circa, tranne quella di Gronau, verso il 1526-28. Per la presenza delle medesime componenti teatrali, va accostato ai dipinti già Del Bono (n. 56 e 57), ma con nessi più diretti rispetto alla cultura veneta, che non con il Beccafumi.

59 ⊞ ◉ *1524-26* 🗎 ⦂

CRISTO MORTO SUL SARCOFAGO, SORRETTO DA TRE ANGELI.

Citato dal Campori [Raccolta di cataloghi ..., 1870], e apparteneuto alla collezione Coccapani di Modena. Lo pubblicò il Longhi [1958] pensando si tratti di uno sportello di tabernacolo (come mostra il foro per la chiave, in basso a sinistra), decurtato, proveniente forse dalla cappella del Sacramento in San Giovanni Evangelista di Parma (dove può averlo acquisito il vescovo P. Coccapani); per lo studioso, in rapporto con le opere della cappella Del Bono, a suo dire del 1522-24. Il rapporto va mantenuto senz'altro, specie per la presenza di chiari riferimenti al Beccafumi.

60 ⊞ ◉ 115×157 *1524-26* 🗎 ⦂

ANNUNCIAZIONE. Parma, Galleria.

Affrescata per la chiesa parmense dei padri dell'Annunziata. Quando, nel 1546, fu decisa la demolizione dell'edificio per costruire una fortezza, i padri armarono la parete ove si trovava e provvidero a segarla, collocandola poi nel loro convento [Vasari]; successivamente venne trasferita nella nuova chiesa, detta Capo di Ponte, a sinistra dell'ingresso. Nel 1832 l'Accademia di Parma ne richiedeva la rimozione per salvarla dal deperimento; fu soddisfatta soltanto nel 1875, e l'opera entrò nella sede odierna. Entro il 1939 si è provveduto al restauro, eliminando ridipinture, vernici offuscate ecc.; rimane comunque in cattive condizioni per la perdita di varie zone e il forte 'pialla-

56   [Tav. XXXII-XXXIII]

57   [Tav. XXXV-XXXVII]

'Prima idea' (Parigi, Louvre), con i due santi decapitati siti al centro della composizione, per il dipinto preso in esame al n. 57.

mento' di quelle superstiti. La critica moderna appare per lo più concorde nel riferimento al 1525 circa, confermato dalla presenza di nessi col Beccafumi e, soprattutto, con la pittura veneta, Tiziano in particolare.

61 ⊞ ◉ 60×43 *1525* 🗎 ⦂

RITRATTO D'UOMO. Milano, Castello Sforzesco.

Nel fondo boscoso si scorge, a destra, un daino in corsa. Non identificabile il volumetto: se-

60   [Tav. XXXI]

condo il Longhi, si tratterebbe di un libro d'ore e, a reggerlo, sarebbe Francesco I di Francia, nel 1525 (datazione dell'opera per il Longhi stesso) prigioniero a Pizzighettone dopo la sconfitta di Pavia. Lo stesso studioso propose [in Baroni, "BM" 1949] e ribadì [1958] il collegamento alla giovinezza del Correggio, che trova dubbiosi, invece, il Bianconi, il Bottari e, in fondo, anche lo stesso Baroni. Opera di eletto livello qualitativo e ricca di profonda umanità; apparentemente più antica dell'anno suggerito dal Longhi, se non fosse per la mano sdutta e allungata, di chiaro sapore manieristico.

62 ⊞ ◉ 81×67 *1524-26* 🗎 ⦂

MADONNA IN ADORAZIONE DEL BAMBINO. Firenze, Uffizi.

Nell'inventario della Galleria [1589-1634] risulta donata (1617) da Francesco I di Modena a Cosimo II de' Medici. Variamente datata dalla critica moderna: 1522 circa [Gronau; Bianconi], 1524 circa [A. Venturi, 1926], 1523-24 [Ricci (mettendone in dubbio l'autografia)], 1524-26 [Bottari]. La cronologia suggerita dal Bottari, in rapporto con le due opere della cappella Del Bono (n. 56 e 57), sembra sostanzialmente accettabile, mentre par chiaro, anche, lo stacco rispetto alla Notte di Dresda (n. 75), nonostante la parziale coincidenza degli elementi iconografici.

63 ⊞ ◉ 68,5×57 *1524-26* 🗎 ⦂

MADONNA DEL LATTE. Budapest, Szépművészeti Múzeum.

Oltre alla Vergine col Bambino, è raffigurato il Battista fanciullo che offre frutta a quest'ultimo. In origine, nel fondo si trovava un paesaggio, reso invisibile da guasti e ripassature. K. Garas ["AAM" 1960] ha identificato il dipinto con quello registrato sotto il n. 39 nell'inventario Aldobrandini di Roma, steso nel 1626; acquistato dal principe Esterházy (1795?) a Napoli, presso il conte Crivelli, che l'aveva ricevuto dallo zio cardinale, cui era stato offerto in dono dal re di Spagna, forse Carlo IV. Impossibile definire ulteriormente la vecchia vicenda dell'opera a causa delle numerose copie antiche (il Ricci ne elenca una ventina, senza pretendere la completezza), che risultano citate come originali: in particolare, fu a lungo creduta autografa l'antica riproduzione nell'Ermitage di Leningrado, che comunque costituisce una buona testimonianza della composizione nella sua primitiva integrità. Variamente datata dai critici moderni: 1522 [Gronau], 1523-24 [Ricci], 1522-23 [Bianconi], mentre il Bottari pensa, attendibilmente (per i fermenti manieristici tra Beccafumi e Anselmi), al tempo delle due tele già Del Bono (n. 56 e 57).

64 ⊞ ◉ 34×25 *1525-26* 🗎 ⦂

MADONNA DELLA CESTA. Londra, National Gallery.

Oltre alla Vergine col Bambino, si scorge, arretrato, san Giuseppe intento a segare. Si dànno versioni discordi sulla vicenda esteriore: sembra comunque che non si possa risalire a pri-

58

Radiografia del n. 58: si notino i 'pentimenti' relativi alle mani di Cristo.

59

61   [Tav. XXX]

62   [Tav. XXXIX]

ma del 1770 circa, quando il Mengs cita il dipinto nelle collezioni reali di Spagna; Carlo IV la donò al suo istitutore Emanuele Godoy, e in tale occasione venne restaurata; durante l'invasione francese passa al pittore inglese Wallace, che nel 1813 la vende per 1.200 sterline; poi, nella collezione Lapeyrière a Parigi, dove è venduta nel 1825; infine, presso C. I. Nieuwenhuys senior, lo stesso anno la dona alla Galleria. Differentemente datata dalla critica moderna: 1522 circa [Gronau], 1523-24 circa [Ricci], 1523 circa [Bianconi], 1525 circa [Bottari]. Peraltro quest'ultimo periodo è, secondo il Bottari, quello delle due tele già Del Bono (n. 56 e 57), cui l'opera in esame sembra senza

67

dubbio da accostare per gli evidenti caratteri tosco-manieristici mediati dall'Anselmi.

65 ⊞ ⊗ 265×161 ▤ ⫶
1525-26

MADONNA DEL SAN SEBASTIANO. Dresda, Gemäldegalerie.

Raffigura la Vergine col Bambino, trionfante su nubi tra cherubi e angeli; in primo piano, i santi Sebastiano, Gimignano, con l'attributo del putto reggente il modello della città di Modena, e Rocco. Dipinta per la confraternita di San Sebastiano in Modena. Nel 1654 fu ceduta al duca Alfonso IV d'Este in cambio d'una copia del Boulanger e della decorazione del coro della confraternita a opera dei Colonna e Mitelli. Inclusa nella vendita fatta da Francesco III di Modena ad Augusto III, dal 1746 si trova a Dresda. Lunga la vicenda dei danni subiti: G. B. Spaccini [*Cronaca modenese*, 1630 c.] riferisce che Ercole dell'Abate, per fondere meglio i colori, la tenne esposta al sole; nel 1611 Ercole Abba

tentò di rimediare ai guasti derivati da tale esposizione; poi vi provvide il Torri, ridipingendola totalmente; il Mengs rammenta che soffrì durante il trasferimento in Germania; quindi il Palmaroli provvide a eliminare le ridipinture. Dal continuo cimento derivò, particolarmente grave, una generale depressione delle ombre, che "irruvidisce" [Ricci] soprattutto le figure di Sebastiano e Gimignano. Quasi concordemente riferita dalla critica moderna al 1525 circa; datazione plausibile per due motivi: anzitutto, la chiarissima ripresa di elementi dal Beccafumi, analogamente che nel *Martirio di quattro santi* (n. 57); poi perché la composizione è stata tenuta presente dall'Anselmi nella pala del Comune in Duomo a Parma, commissionata nel luglio 1526 [Popham].

66 ⊞ ⊗ 105×102 ▤ ⫶
1526-27

NOZZE MISTICHE DI SANTA CATERINA, CON SAN SEBASTIANO. Parigi, Louvre.

Il Vasari lo ricorda, ammirato, presso un dottor Grillenzoni di Modena; nel 1582, intermediario il cardinale Luigi d'Este, passava a Caterina Nobili Sforza di Santafiora; nel 1650 apparteneva al cardinale Antonio Barberini, che lo donò al Mazzarino; dagli eredi di quest'ultimo, a Luigi XIV. Dalla critica moderna ubicato variamente fra il 1523-25 [Gronau] e il '26 [Bottari]. A. Venturi scorge rinvii a Leonardo nelle figure della Vergine e di san Sebastiano. Impianto compositivo e materia pittorica palesano, sì, coincidenza con l'"*Ecce Homo*" di Londra e con la *Madonna* di Budapest (n. 58 e 63), ma anche divari: la stesura è più netta e la costruzione complessiva si accosta più alla *Madonna di san Gerolamo* (n. 70) che non alle evocazioni manieristiche delle due opere testé citate.

67 ⊞ ⊗ 37×40 ▤ ⫶
1528

ORAZIONE NELL'ORTO. Londra, Victoria and Albert Museum.

Il Vasari la menziona a Reggio Emilia, dove da altra fonte (una lettera di F. Rangoni del 1584) risulta in proprietà di F. M. Signoretti; a quest'ultimo la richiese, per conto del re di Spagna, lo scultore P. Leoni, che però ne giudicava troppo alto il prezzo di 500 scudi; sei anni dopo veniva ceduta, per 400 scudi, a P. Visconti [Lomazzo]; da questi, per 750 doppie, al governa

65

tore di Milano, Caracena (1590), che agiva in pro del sovrano spagnolo Filippo IV. Poi, in tempi napoleonici, apparteneva a Giuseppe Buonaparte; cui fu tolta da Wellington, e così giunse in Gran Bretagna. Dopo il Gronau, che pensa al 1526-28, è per lo più riferita al 1524 o '25 circa. I confronti con la *Notte* di Dresda (n. 75) sembrano però dar ragione allo studioso tedesco, come mostra un disegno del British Museum.

Affreschi nel Duomo di Parma

Il 3 novembre 1522, nel pieno dell'attività in San Giovanni Evangelista di Parma, il Correggio sottoscriveva l'impegno ad affrescare anche in Duomo, relativamente alla cupola, all'abside, agli arconi e ai pilastri, per il compenso di mille ducati aurei. Ecco il documento: "Visto diligente il lavoro che per hora sol con V.e S.e mi par piacendo a quelle di patuire che e' pigliando quanto tiene il coro, la

capella con suoi archi e pilli senza le capelle laterali, e diritto andando al sacramento, fassa, crosera e nicchia con le sponde e ciò che di muro si vede in la capella infino al pavimento, e trovatolo circa a 150 pertiche quadre da ornar di pittura con quelle istorie mi seran date che imitano e il vivo o il bronzo o il marmo secondo richiede a i suoi lochi e il dover de la fabrica e le ragioni e vaghezza di essa pittura, e ciò a mie spese di 100 ducati de oro in foglio e de colori e de l'ultima smaltada che sarà quella dove io pingerò sopra, non si potrà con l'honore e del loco e nostro fare per manco de ducati 1000 de oro, et con il comodo di queste cose: 1) prima de i ponti; 2) de le inserbature; 3) de la calcina da smaltare oltre allo inserbare; 4) de un camerone o capella divisa per far li disegni". Il documento seguente data 23 novembre 1523, ed è la commissione a maestro Iorio da Erba per i lavori di costruzione di ponteggio entro la cupola, onde compiere la generale scrostatura dei precedenti affreschi.

(Noto però che non tutti, almeno, dovettero essere scrostati, e almeno una parte semplicemente martellinati, se ne affiora una breve sezione nell'arcone nord con una figura a mezzo busto databile gli inizi del sec. XV). Viene quindi il documento del 23 novembre 1526, nel quale il Correggio riceve il primo pagamento di 76 ducati d'oro e 13 soldi come saldo dei 275 ducati del "primo quarterio" della pittura a fresco delle "capelle magne et cube ecclesie maioris Parme", sul compenso totale pattuito, dunque, in 1100 ducati. Il 17 novembre 1530 l'Allegri riceve in pagamento altri 175 scudi d'oro, per il "secondo termine", cioè per la metà dell'intero lavoro. L'ultimo documento risale a dopo la morte del Correggio, e si ricava dal libro dei debiti e crediti della Fabbrica del Duomo all'anno 1551, dove appunto si dice che gli eredi del pittore devono alla Fabbrica stessa 140 lire imperiali, dato che l'artista non ha assolto a tutti i compiti cui si era impegnato. Si vuole, peraltro, che il lavoro compiuto non abbia soddisfatto i canonici del Duomo: è d'obbligo, a questo punto, ricordare che uno di loro l'avrebbe definito un "guazzetto di rane", e che solo il giudizio di Tiziano, di passaggio a Parma col seguito di Carlo V — "Rovesciatela [la cupola], empitela d'oro, né ancora sarà pagata a dovere" —, riuscì a scongiurarne la distruzione. Per certo, nel 1530 l'Allegri abbandonava l'impresa, ritirandosi nella città natale.

È bello, magari quanto illusorio, credere alla realtà dell'intervento del Vecellio, e pensare che la battuta (riferibile — non senza i dovuti puntelli storici — al 1530 stesso, oppure al '32 o '33) abbia causato l'avvio dei lavori per la protezione del ciclo, iniziati appunto nel 1533, con la copertura in rame e piombo della cupola, e protrattisi fino al '39. Poi, però, tranne qualche modesto intervento e qualche saltuaria spolveratura, una lunga incuria fece sì che nel 1913 il Ricci dovesse redigere un rapporto che allarmante sulle condizioni dell'opera, depressa a un denso strato di sudiciume, da sollevamenti dell'intonaco (col pericolo di estesi crolli, cui si era tentato di rimediare applicando tele e carte, piantando chiodi e stendendo reti e fili metallici), da un quasi generale arricciolamento della superficie dipinta oltre che da una fittissima trama di crepe. Deciso l'intervento conservativo (che per l'urgenza non venne interrotto nemmeno durante la prima guerra mondiale, e si protrasse fino al 1916), a opera di T. Venturini Paperi, esso si risolse tuttavia in semplici consolidamenti, che tutto sommato lasciano aperta la questione. Si devono però al Ricci preziose indicazioni sul procedimento tenuto qui dal Correggio, consistente nella stesura del tratteggio ad "acque tinte" sulla campitura a fresco, e sul ricorso finale — imposto dall'estensione dell'opera e dall'esigenza di un estremo intervento coordinatore — a ripassature dell'intonaco ormai asciutto, per armonizzare le singole parti, rilevarne alcune, 'abbassarne' altre, e così via. La difficoltà, perciò, dei restauri e il problema del riattaccamento delle scaglie sollevate di colore

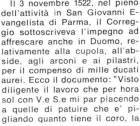
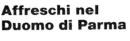

63

64 [Tav. XXXIV]

66 [Tav. XXXVIII]

con resine disciolte, la rimozione delle oleose affumicature spiegano forse, da un lato, la situazione attuale dell'affresco, nettamente ammuffito e qua e là danneggiato da cadute d'intonaco; ma, soprattutto, spiegano il generale squilibrio tonale, che si spera venga eliminato da un programmato, prossimo intervento: appare infatti più che probabile che i danni siano più apparenti che reali, e che la rimozione delle ridipinture, del grasso, della polvere e delle muffe permetterà di recuperare un testo integro, e una parte almeno dell'originaria pittura a tempera sovrammessa, quella cioè lasciata dai precedenti restauri.

Sussiste ben poco della gran massa dei disegni dell'Allegri, ma è certo che ormai il pittore viene abbandonando il metodo dei cartoni spolverati per usare un sistema più veloce, disegni quadrettati e pantografati, quindi, sul muro (Francoforte), e creazione diretta su questo della tessitura di putti, angeli, santi cherubi, dato che quasi sempre tra disegni e figure realizzate sono notevoli le varianti. Solo per i quattro santi nei pennacchi il maestro ha realizzato disegni assai esatti; anzi, come finemente nota il Popham, disegni che dilatano sul piano la concavità della nicchia del pennacchio: disegni, quindi, che sono vere e proprie proiezioni e perciò doppiamente fedeli. La tessitura pittorica del ciclo rivela quanto, da un lato, il Correggio abbia appreso dall'esperienza sulla pittura veneziana, in ispecie di Tiziano, ma anche quanto grande sia il suo distacco: quella che in Tiziano è sempre luce narrativa, nell'Allegri diventa lume ideologico, la luce delle immagini che salendo si accostano alla divinità. Quanto allo stacco dal mondo culturale romano, basti pensare al rifiuto del centralismo e della assialità e alla grandiosa invenzione della non-architettura (si veda al n. 68): Roma, pur con l'idea della grande 'rovina' del San Pietro, la Roma di Raffaello della cappella Chigi, non potrebbe essere, nell'invenzione della cupola parmense, più distante.

Cupola

68 ⊞ ⊛ 1093×1195 *1526-28* ▤ ⁝

ASSUNZIONE DELLA VERGINE.

La forma leggermente ellittica, nel senso del transetto, è dichiarata dalle dimensioni suddette. L'affresco comprende anche il tamburo, consistente in un paramento ottagonale, spartito dagli oculi delle finestre. Queste ultime separano, a coppie o figure singole, gli immensi Apostoli, dietro ai quali, poggiando sulla sommità del muricciolo stesso, angeli (o efebi, come si conviene di chiamarli, data l'assenza delle ali) bruciano incenso o che altro di odoroso nei tripodi collocati agli angoli dell'ottagono. Più sopra, dopo un vasto 'registro' di nubi, qua e là improvvisamente squarciate sull'azzurro del cielo, il trionfale arrivo della Vergine in cielo, che suscita un vortice di letizia in un primo coro, di angeli (danzano, si tuffano vertiginosamente, cantano, si abbracciano, suonano gli strumenti più vari, dai

(Sopra) Veduta complessiva della cupola e dei pennacchi del Duomo di Parma (si veda anche Tav. XLVIII-IL). - (Sotto, dall'alto) Veduta parziale della cupola stessa e due altre riprese all'altezza del tamburo (si vedano inoltre le Tav. da LI a LIV).

cembali ai liuti, ai flauti, alle tibie), e fra i beati, raccolti, più sopra, in un altro girone, serrato in adorazione attorno alla Madre, dove si scorgono Adamo, Eva col pomo della "felix culpa", Abramo con Isacco, Giuditta col capo di Oloferne, David e Golia, ecc.

A. Venturi nota [1926] che, nell'opera, "richiami alla Camera di San Paolo, oltre le conchiglie, sono i festoni di frutta legati da nastri": una connessione, questa, meramente iconografica, che non appare possibile condividere; mentre più oltre, e con finezza, lo studioso annota che "gli occhi cinti da ghirlande d'alloro sostituiscono i clipei di Michelangelo, e figure sedute una per lato, come nella Cappella Sistina le coppie di efebi, li reggono pel sostegno di nastri". Il Ricci data la cupola al 1526-30. Più di recente, il Bottari, a seguito di una lunga analisi formale, propende per la stessa cronologia; e così il Bianconi. Il Tassi [1967] posticipa invece l'inizio della stesura pittorica alla primavera del 1527. Resta ancora da dire che lo studio del Popham [1957] sui disegni del Correggio, con un intero capitolo dedicato appunto alla cupola in esame, appare forse il più significativo tra i contributi recenti, in quanto offre alcune idee sul progetto primitivo della decorazione e chiarisce vari problemi relativi al modo di operare del Correggio. In effetti, dai documenti richiamati più sopra, dato che il primo pagamento è del settembre 1526, sembra probabile che il Correggio abbia iniziato a lavorare fin dall'estate di quell'anno, essendo ormai scrostata l'antica pittura quattrocentesca ed essendo stato rifatto l'intonaco. Il problema architettonico che l'artista deve affrontare è assai diverso che in San Giovanni: qui la cupola, di sezione ogivale e quindi con un forte allungamento, preesiste, e l'artista deve studiare il modo di trasformarla, almeno idealmente, in un catino emisferico: ed ecco da un lato i primi disegni (Oxford), con l'idea del grande fregio architettonico che inquadra gli oculi e con sopra ritti in piedi i dodici Apostoli; gli oculi sono appunto otto, e gettano all'interno della cupola una luce intensa e piena, una luce ben diversa da quella scarsissima di San Giovanni. Il problema iconografico delle figure accovacciate ai lati degli oculi, esattamente sedici, viene risolto dal Popham: doveva trattarsi di dodici profeti minori e dei quattro maggiori; sopra, si diceva, gli Apostoli, che invece, nella versione finale, si affacciano alla balaustra. Ma un altro aspetto, non rilevato, del modo di studiare la composizione del Correggio resta da esaminare (si veda anche alle trattazioni particolareggiate, qui sotto): sappiamo dalle fonti, e dal Mengs e dal Lanzi anche, che l'artista era amico dello scultore in terracotta Antonio Begarelli, modenese, e sappiamo pure (l'ipotesi che la notizia corrisponda al vero mi sembra molto stimolante) che il Begarelli eseguì per il Correggio bozzetti di figure, evidentemente bozzetti montati su un grande modello nel camerone annesso ai lavori (come dal contratto del 1522); inerivano soprattutto a problemi di luce e distribuzione, e appare

105

(Dall'alto) Disegni (Oxford, Ashmolean Museum) per un settore del tamburo, e (Parigi, Louvre) per la figura di Eva nella cupola del Duomo parmense.

assai probabile [C. Quintavalle, 1969] che l'Allegri abbia cercato di sperimentare non tanto modellini delle singole figure, quanto i giochi di masse e i cerchi di nubi di cui si serve, con i gruppi e gli intrichi di figure angeli santi beati, per risegare sempre quella allungata ogiva di cui si è detto. L'invenzione iconografica risulta assai meno complessa che in San Giovanni Evangelista, e ha anche un pubblico ben diverso: in quella chiesa, per i 'monaci neri', il punto di veduta principale era il presbiterio, non la nave, tant'è che solo da quello, verso l'abside, si scorge il san Giovanni vecchio sotto il cerchio degli Apostoli; al contrario, questa è la chiesa del popolo, e la scena viene pubblicamente ostensa, e anzi tende a coinvolgere il pubblico dei fedeli. Infatti il Correggio immagina — s'è accennato qui sopra — una spalancata architettura, un'architettura interrotta contro il cielo aperto; attorno, gli Apostoli che si affacciano all'interno degli oculi fra un occhio e l'altro, mentre sotto si apre il vuoto, il sepolcro della Madonna (il Duomo è dedicato appunto a lei); la Madonna assunta è eccentrica rispetto al punto mediano della cupola, e il Gabriele invece occupa il culmine della struttura. Quanto alla fonte d'una tale idea, di architettura aperta contro un cielo spalancato, i primi disegni (Oxford) mostrano un tipo di strutture vagamente post-brunelleschiane, con quelle paraste aderenti e la sovrastante cornice, mentre nella finale realizzazione il carattere del cerchine risulta più chiaramente bramantesco. L'invenzione del Correggio, mi sembra potersi legare [C. Quintavalle, 1969] a una situazione reale, a una precisa esperienza storica, ancora una

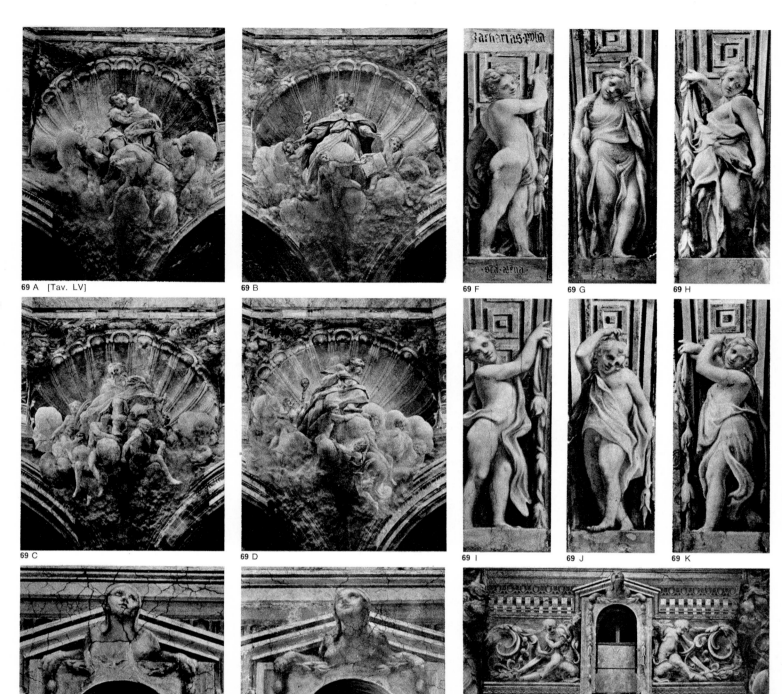

69 A [Tav. LV]

69 B

69 F

69 G

69 H

69 C

69 D

69 I

69 J

69 K

69 E

69 E

69 E

volta romana: la conformazione del San Pietro nei suoi vari stadi, prima dell'intervento di B. Peruzzi (1513) o al tempo dei primi studi di Raffaello, dopo l'attività del Bramante, appare assai caratteristica e quasi non confondibile: una sorta di grandiosa rovina, più ancora delle terme o della basilica di Massenzio, una grandiosa apparente rovina con arconi sesquipedali, addirittura, in certe parti, per intervento di Raffaello, con una sezione di rivestimento in corso di conclusione, infine con in evidenza l'antica abside rosselliniana che poi sarebbe stata abbattuta (cfr. le vedute di Martin van Heemskerk); e anche se allora non era costruito il tamburo, certo ve ne era il progetto e, comunque, era noto lo schema bramantesco fin dal tempo della medaglia commemorativa

del Caradosso (1505). Insomma, l'*Assunzione della Vergine* è messa in scena (il termine mi sembra esatto) sull'asse della cupola aperta ai cieli del San Pietro: forse per questo il Correggio ha pensato a un tamburo, rinunciando alle prime idee di una costruzione che accentuasse gli angolari degli spicchi (disegno di Harlem) proseguendoli strutturalmente.

Pennacchi

Nelle quattro superfici triangolari sottostanti alla cupola sono raffigurati i santi patroni di Parma, come sorgenti sulle nuvole violette — con vivacissimo corteggio di angeli apteri — dalle valve di enormi conchiglie (se si vuole, quelle della Camera di San Paolo, ingigantite): ar-

monioso preambolo al vortice soprastante. Pure estesamente danneggiati, così che anche per essi il Ricci ritenne di doverne presentare, nella propria monografia, le svianti copie all'acquerello eseguite da A. Costa, L. Bigola, I. Raimondi e P. Toschi (Parma, Galleria). L'ordine delle trattazioni singole segue, al solito, il senso orario; e i ragguagli premessi alla prima scheda valgono anche per le restanti.

69 ⊞ ⊕ *750×500* *1528-29* ☰ ⦂

A. SAN GIOVANNI BATTISTA.

Pennacchio di nord-est. Particolarmente danneggiato verso il basso.

B. SANT'ILARIO.

Pennacchio di sud-est.

C. SAN TOMMASO.

Pennacchio di sud-ovest. I guasti riguardano l'intera composizione.

D. SAN BERNARDO.

Pennacchio di nord-ovest. I danni risultano particolarmente gravi nella zona inferiore.

Oltre alle belle ghirlande di fiori e frutta che sovrastano ciascuna conchiglia dei pennacchi, è da ricordare il fregio che si stende sui quattro lati dell'ottagono che uniscono i pennacchi stessi. Si tratta d'una fascia a monocromo, dove putti mobilissimi giocano variamente con i racemi e gli altri elementi vegetali che li collegano con gli ornati incornicianti le quattro finestre centinate e con quelli sormontanti le ghirlande suddette [E]. Lo stato di conservazione

e soprattutto l'ubicazione non consentono di stabilire il grado di autografia.

Sottarchi

L'ornamentazione risulta concepita come in quelli di San Giovanni Evangelista (n. 51), sennonché invece dei personaggi biblici si hanno figure di efebi, teneramente espresse con un monocromo grigio dorato, che ne fa un'ambigua via di mezzo (ancora una volta, la continuità plotinica) tra il vero in carne e ossa, e il marmo classico. Sono le parti meglio conservate del ciclo. Le figure del sottarco verso il presbiterio si debbono al Mazzola Bedoli. Si dànno le riproduzioni degli efebi autografi (n. 69 [F-K]).

70 ⊞ ◒ 205×141 *1527-28* ▤ ⁝

MADONNA DI SAN GEROLAMO (Il Giorno). Parma, Galleria.

Oltre alla Vergine col Bambino, raffigura san Gerolamo col leone, un angelo, la Maddalena e il Battista fanciullo. La seconda denominazione costituisce il contrapposto a quella di *Notte* per la famosa tavola a Dresda (n. 75), di cui la presente è considerata *pendant* ideale. Secondo una 'memoria' (perduta) del Tiraboschi, fu allogata al Correggio da donna Briseide Colla, vedova di O. Bergonzi, nel 1523, per quattrocento lire imperiali, destinandola alla propria cappella in Sant'Antonio a Parma; dove venne posta in opera nel 1528, fruttando all'artista anche due carri di fascine, alcune staia di frumento, un maiale. All'inizio del '700, decisa la demolizione del Sant'Antonio, fu trasferita nella canonica della chiesa; nel 1749, in seguito all'allarme suscitato dalle voci di un possibile acquisto da parte di Augusto III (altre minacce di vendita si erano avute in precedenza), venne messa al sicuro nel capitolo del Duomo; sei anni dopo, per le lagnanze del pittore Dutillot, che non aveva potuto copiarla, passò nell'Accademia artistica; nel 1765 la acquistò il governo di Parma. Dal 1796 al 1816 fu in Francia col bottino napoleonico. In complesso ben conservata, benché gli stiramenti del supporto abbiano prodotto fratture nella superficie dipinta. Le proposte per la cronologia vertono concordemente sul 1527-28. Se ne conosce soltanto un disegno preparatorio (Oxford, Christ Church), testimoniante una 'prima idea', con una figura di vecchio (san Gerolamo?) al posto di quella della Maddalena. A. Quintavalle [1939] notava i nessi con la cupola del Duomo (n. 68) a proposito dell'angelo; lo stesso vale per quella di san Gerolamo rispetto agli Apostoli della cupola, mentre la Maddalena e il tessuto coloristico, su una tonalità calda e dorata (indipendentemente dall'accentuazione prodotta dalle vernici) si collegano

70 [Tav. XLV-XLVII]

a Tiziano; così il rapporto fra il primo piano, in parziale controluce, e il fondo, aperto al gran chiarore diurno.

71 ⊞ ◒ 155×92 *1528* ▤ ⁝

EDUCAZIONE DI AMORE. Londra, National Gallery.

Amore è fra Venere e Mercurio, che gli "insegna a leggere", come è detto nell'inventario (1627) dei Gonzaga a Mantova, cui l'opera appartenne. Passò poi (1628) a Carlo I d'Inghilterra; quindi, acquistata dal duca

73

d'Alba (per ottocento sterline), giunse in Spagna, dove poi appartenne al principe de la Pace; nel 1808, confiscata da Murat, passò a Napoli; poi a Vienna, con Carolina Buonaparte, che la vendette al marchese di Londonderry, che la cedette allo Stato britannico. Da tali traversie, il verificarsi di vari guasti, inadeguatamente riparati da vecchi interventi conservativi; inoltre il supporto deve essere stato ridotto di oltre trenta centimetri nei due sensi (si veda n. 71). Variamente datata dai critici moderni: 1523-25 [Gronau], 1525 [Venturi], 1520 circa [Ricci], 1522-23 [Bianconi], 1524-26 circa [Bottari]. In realtà l'opera riflette il percorso formale, più concluso e più complesso, dell'ultimo Raffaello e del giovane Giulio Romano; il tutto, beninteso, ritessuto entro la materia tipica del Correggio, qui però un poco più tesa e modulata dalla ritmica proporzionale: come nel probabile *pendant*, *Giove e Antiope* (si veda al n. 72) [Popham, 1957]. Appunto per i nessi con l'opera di Giulio Romano al palazzo Te in Mantova (tipologia delle figure e, soprattutto, tessitura chiaroscurale a fieri sbattimenti di luce e ombra), nonché per taluni elementi prossimi alla *Madonna di san Gerolamo* (n. 70); si propone una cronologia piuttosto avanzata.

Il Ricci ne segnala varie copie, fra cui una già in possesso di Cristina di Svezia, da identificare forse con la versione Odescalchi e poi degli Orléans; una nella Galleria Gonzaga di Novellara, dove è ascritta al Parmigianino; una parziale, nell'Alte Pinakothek di Monaco.

72 ⊞ ◒ 190×124 *1528* ▤ ⁝

GIOVE E ANTIOPE. Parigi, Louvre.

Quello suddetto è il titolo tradizionale; ma sembra trattarsi piuttosto di Venere, addormentata con Cupido e sorpresa da un satiro: tale, anche, l'interpretazione del tema risultante nell'inventario (1627) dei Gonzaga a Mantova, cui l'opera apparteneva, essendo stata eseguita dal duca Federico II con l'intenzione di farne dono all'imperatore Carlo V (ciò che peraltro potrebbe rinviare al gruppo di opere dipinte in seguito e, insomma, agli 'Amori di Giove' [si veda la premessa al n. 77]). Nel 1628, con l'*Educazione di Amore* (n. 71), suo probabile *pendant*, pervenne a Carlo I d'Inghilterra; dopo la cui decapitazione

fu acquistata dal banchiere Jabach, che la trasferì a Parigi; quivi la comperò il Mazzarino, dai cui eredi giunse a Luigi XIV. Dissentendo sul 'gemellaggio' con l'*Educazione* suddetta, A. Venturi e il Ricci la staccano anche cronologicamente da quest'ultima, il secondo studioso riferendola al 1525, mentre il Bianconi propende per il 1523-24. Il collegamento con l'*Educazione* venne ribadito da Popham [1957], notando che in una miniatura di I. Oliver le due opere risultano di identiche dimensioni (donde la probabilità che l'*Educazione* sia stata ridotta). Lo stesso Popham indica un disegno a Windsor Castle, relativo alla supposta Antiope, che quadra perfettamente con il tempo

Possibile 'prima idea' (Oxford, Christ Church Library), con san Gerolamo a destra, per il n. 70.

delle più raffinate elaborazioni del Correggio nel Duomo di Parma, precisamente con i disegni per i pennacchi; si noti inoltre che il presunto Giove presenta le cadenze lineari appesantite che forse provengono dagli esempi di Giulio Romano nel palazzo Te a Mantova.

73 ⊞ ◒ 54×44 *1528* ▤ ⁝

RITRATTO DI GENTILUOMO. Londra, propr. Lee of Fareham.

Dalla collezione Brükenthal di

Sportelli di Napoli

Si tratta di due tele, nella Galleria di Capodimonte a Napoli, datate in basso, sullo zoccolo delle nicchie: "DIE VI IVLI // MDXXVIIII". Recano sul verso il sigillo farnesiano, e in effetti risultano, come opere del Correggio (rispettivamente con i numeri 463 e 464, pure iscritti sul retro), nell'inventario (1680) delle opere dei Farnese nel palazzo del Giardino a Parma; inoltre sono citate nella *Descrizione per alfabeto di cento quadri de' più famosi ... che si osservano nella Galleria Farnese in Parma* (1725) e nell'elenco dei *Quadri della regio-ducale Galleria di Parma* (1736). Probabilmente passarono a Napoli con le collezioni farnesiane, cadendo nell'abbandono d'un sottoscala che accomunò tali dipinti ("les ont laissés pendant trois ans sur un escalier borgne, où tout le monde allait pisser. Oui, monsieur, on pissait contre le Guide [Reni] et contre le Corrège" [De Brosses, 17...]). Nell'inventario napoletano di metà '800 si trovano riferite a "scuola bolognese"; escluse da quelli del 1911 e 1928, mentre in quello del 1930, per errore nella lettura della data, sono indicate come di scuola parmense del '700. La supposizione che siano due sportelli

Attribuito al Correggio da A. Venturi [1926], concorde Fry [1928] e gran parte dei critici successivi, fra cui il Ricci [1930], che lo data 1525 c. Il Bologna [1957] lo collega agli sportelli di Napoli (n. 74), nel senso che l'effigiato sarebbe il conte Guido da Correggio, morto nel 1528, datazione probabile del dipinto, secondo lo studioso. Appare interessante, per avere un'idea del divario stilistico fra quest'opera e un dipinto di solo tre anni anteriore, ma collegato ancora alla 'maniera', confrontarla col supposto ritratto di Francesco I (n. 61).

71 [Tav. XLI-XLII]

72 [Tav. XL]

75 [Tav. LVII-LIX]

trova conferma, oltre che nella conformazione della scritta suddetta, anche nei telai originari (ora sostituiti), recanti i segni di cardini. Nel corso del recente restauro si è provveduto a rintelare le due opere su seta, essendo estremamente consunte le tele primitive. Il Bologna, che riconobbe e pubblicò i dipinti [1957], confronta i panneggi con quelli della *Madonna di san Giorgio* (n. 82) e del san Bernardo in un pennacchio del Duomo di Parma (n. 69 D), desumendone conferme per la data; inoltre lo studioso suppone un rovesciamento dei rapporti fra il Correggio e il Lotto, nel senso d'un interesse da parte del primo per il secondo, e non viceversa come in genere aveva creduto la critica. Il riferimento al Correggio ha trovato concordi sia il Bianconi, sia il Bottari. I ragguagli per l'una delle due opere valgono anche per l'altra.

74 ⊞ ⊗ 167×63 / 1529 ▤ ⦂

A. SAN GIUSEPPE.

B. DEVOTO.

Il Bologna, segnalando le affinità fisionomiche con l'effigiato del dipinto Lee of Fareham di Londra (n. 73), prospetta trattarsi del conte Guido da Correggio, morto il 6 luglio (forse) del 1528: in tal modo il dittico, come parrebbe anche mostrare l'atteggiamento della figura in esame, sarebbe stato eseguito in funzione commemorativa della morte del possibile effigiato.

75 ⊞ ⊗ 256,5×188 / *1529-30 ▤ ⦂

LA NOTTE. Dresda, Gemälde-galerie.

Si tratta d'una adorazione dei pastori al presepio, tema — del resto — per il quale era consueto il titolo di *Notte* (si veda proprio nel contratto per il dipinto,

'Prima idea' (Cambridge, propr. L. C. G. Clarke, molto 'variata', per il dipinto n. 75.

qui di seguito). Commissionata al Correggio da A. Pratoneri da Reggio Emilia il 14 ottobre 1522, per la cappella gentilizia in San Prospero della stessa città; la somma pattuita fu di quaranta-sette ducati d'oro e mezzo, dei quali il pittore ricevette subito un acconto di quaranta "libre" ("Per questa Notta, di man mia, io Alberto Pratonero faccio fede a ciascuno, come io prometto di dare a Maestro Antonio da Correggio pittore libre ducento otto di moneta vecchia reggiana e questo per pagamento d'una tavola che mi promette di fare in tutta excellentia, dove sia depinto la Natività del Signore Nostro, con le figure attinenti, secondo le misure e grandezza che cappeno nel disegno che mi ha puorto esso maestro Antonio, di man sua. In Reggio alli XIIII di Ottobre MDXXII. Al predetto giorno gli contai per parte di pagamento libre quaranta di moneta vecchia". Il Correggio sottoscrive infatti: "Et io Antonio Lieto da Correggia mi chiamo haver recepto al dì et millesimo soprascritto, quanto è sopra scritto, et in segno di ciò questo ho scritto di mia mano" [Modena, Archivio di Stato]). Il dipinto dovette essere compiuto nel 1530, come mostra la data incisa su un pilastro della cappella, quando questa venne inaugurata. Fin dal 1587, da una lettera di F. Rangoni al segretario di F. Rangoni al segretario degli Estensi desideravano possedere il dipinto; nel maggio 1640 il duca Francesco I lo fece senz'altro trasportare a Modena; dove rimase sinché Francesco III non lo cedette (1746) ad Augusto III, e in tal modo giunse a Dresda. Ora *in loco* rimane soltanto la bella cornice. Concorde il riferimento cronologico al 1530. Popham [1957] prospetta che un disegno a Cambridge (propr. Clarke) si riferisca al 'modello' concordato coi Pratoneri e spetti a prima del 1522; la data non sembra però convenire a causa degli elementi stilistici collegabili alla fine del decennio, quindi si trat-

ta dello studio per un'altra opera [Ricci] o per una differente 'idea' della *Notte*. Il dipinto presenta una complessa tessitura luministica, con due fonti di luce: quella del tramonto, dal fondo; e quella ideologica, emanante dal Bambino e riflettentesi più o meno sulle figure, a seconda del grado della loro divinità. Non si può non contrapporre questa alla pala Pesaro di Tiziano, dove il pittore veneto aveva composto una scena spazialmente come rovesciata, con l'elemento architettonico a destra e l'apertura a sinistra: qui le colonne e le nubi creano un sistema strutturalmente analogo; d'altro canto la prospettiva dell'Allegri è unitaria, e il punto di vista a livello coinvolge nel racconto lo spettatore, mentre in Tiziano lo scorcio dal basso compie un'operazione opposta, e la luce è continua, di tipo naturalistico. Anche un'altra opera del Vecellio, il polittico Averoldi, anteriore (1520-22 c.), con il gran paesaggio notturno e le figure in controluce, può avere offerto al Correggio non pochi suggerimenti.

76 ⊞ ⊗ 218×137 / 1530 ▤ ⦂

MADONNA DELLA SCODELLA. Parma, Galleria.

Si tratta d'una sacra Famiglia assistita da angeli, quattro dei quali fra le nuvole, uno a sinistra e un altro all'estrema destra: nonostante l'età del Bambino, il tema viene identificato come un riposo durante la fuga in Egitto (d'altronde, i Vangeli apocrifi cui può avere attinto il Correggio riferiscono l'episodio al ritorno da tale fuga). Proviene dalla chiesa parmense del Santo Sepolcro, allogata al Correggio probabilmente nel 1524 ma consegnata nel '30, come conferma l'iscrizione sulla cornice (è quella originaria, intagliata e dorata dallo Zucchi, su disegno dell'Allegri stesso): "Di-

76 [Tav. XLIII-XLIV]

vo Joseppho Deiparæ Virginis custodi fidiss. cœlitusq. destinato huisce aræ comuni aere erectores devoti alacresq. erescere MDXXX die II Juni". Trasferita a Parigi col bottino napoleonico (1796); restituita nel 1816, entrò in Galleria, dove il Ricci la fece collocare nella propria cornice (1896), rimasta fin allora nel Santo Sepolcro. Gli storiografi ottocenteschi pensano a datazioni generalmente arretrate: 1527-28 [Pungileoni, 1817; Meyer, 1871],1526 [Mignaty, 1888], ecc.; la critica moderna propende per il 1529-30, con l'eccezione del Bianconi [1960], assertore del 1528-29. Il Mengs ricorda

81

che il "prodigioso quadro fu rovinato ... da uno Spagnolo garzone di Pittore, il quale, ottenuto ... il permesso di copiarlo, gli diede una sì barbara lavata, che appena vi lasciò colore su tavola"; e il Mengs stesso avrebbe provveduto al restauro. Nonostante ciò, l'opera non sembra aver subito gravi danni: le figure sono dipinte col fare denso e ricco degli ultimi tempi della cupola nel Duomo di Parma (n. 68); l'idea di aggirare la composizione per via di luce con lo sfondato a destra degli angeli, nel generale riferimento a lavori

74 A

74 B

77 [Tav. LX-LXI]

78 [Tav. LVI]

79 [Tav. LXIII]   **80** [Tav. LXII]

di Tiziano verso il 1522-23 (come il *Bacco e Arianna* a Londra), è forse memore ancora delle esperienze condotte sul manierismo senese.

Amori di Giove

Serie di dipinti commissionata al Correggio dal duca Federico II Gonzaga per farne dono a Carlo V in occasione della sua incoronazione a Bologna, nel 1530. Come mi suggerisce il Camesasca, è possibile che le

opere non siano state compiute in tempo per la cerimonia: si spiegherebbe così la data 1531 apposta su una copia incisa della *Danae* (n. 77); ne risulterebbe confermata la cronologia 1530-31, stabilita per via stilistica; e verrebbe chiarita la vicenda, se non di tutte, almeno di alcune fra le opere del ciclo, per le quali diviene in tal modo possibile supporre che, consegnate in ritardo, non siano state donate a Carlo V, rimanendo a Mantova fino alla seconda metà del '500. Anche gli 'Amori di Giove' confermano l'interesse del Correggio alla trasformazione degli elementi, al contatto di animali e animati, che caratterizzano la rielaborazione della filosofia plotinica fornita dal Ficino.

77 161×193 / 1531

DANAE. Roma, Galleria Borghese.

Ricordata per primo dal Vasari, senza tuttavia indicarne l'ubicazione; il Lomazzo [1584] la cita in Milano, in possesso, assieme all'*Io* (n. 79), dello scultore Leone Leoni; il Lomazzo stesso celebra i due dipinti in un sonetto [*Rime*, 1587]. I vecchi storiografi, dinanzi a tale citazione, sono indecisi se ammettere che il Leoni avesse ricevuto le due tele da Filippo II, o se le avesse acquistate presso A. Pérez, il quale poteva averle ricevute dal sovrano stesso, di cui fu il favorito sino al 1579, quando cadde in disgrazia e dovette vendere la propria raccolta artistica: poiché anzi la vendita ebbe luogo soltanto nel 1585, il Ricci esclude la seconda ipotesi; però si potrebbe ammettere che il Pérez abbia ceduto i dipinti entro l'84, allorché già dal 1579 — non è illecito supporlo — prevedeva di doversene privare; d'altronde, all'ipotesi d'un dono di Filippo II al Leoni sembra contrastare il fatto che proprio quest'ultimo ricercava opere d'arte per il presunto donatore, e a codesto fine tentava di acquistare nel 1584 l'*Orazione nell'orto* ora a Londra (n. 67). Il Meyer peraltro non escludeva che lo scultore avesse ottenuto le due opere direttamente dal Correggio; né, in sede d'ipotesi, si deve ignorare quella che le esclude dal dono di Federico II a Carlo V per l'incoronazione del 1530, tanto più data la scritta che correda una copia incisa del dipinto, eseguita (1713) da E. Desrochers (una delle numerose conosciute): "Antonius de Allegris Corrigiensis pinxit 1531". Nel 1601 l'ambasciatore di Rodolfo II in Spagna H. Khevenhiller trattava col figlio del Leoni, Pompeo, l'acquisto della *Danae* e dell'*Io*; la cessione venne perfezionata nel 1603, e le due opere passarono così a Praga. A questo punto la vicenda dei due dipinti si divide. Nel 1648 la *Danae*, compresa nel bottino degli svedesi, è portata a Stoccolma (di conseguenza è da credere che il Boschini [1660], citandola a Vienna, confondesse con l'*Io*) e, con la *Leda* (n. 78), risulta quivi inventariata nelle collezioni reali (1652); poi Cristina di Svezia le trasferisce con sé a Roma, dove dona la tela in esame al cardinale Azzolini, dal cui nipote viene ceduta al duca di Bracciano don Livio Odescalchi (1728). Nel 1780 si trovava (verosimilmente da molto tempo) presso gli Orléans a Parigi (vedi, infatti, n. 78); quindi pervenne (1816) al duca Bridgewater in Londra; infine a H. Hope, che la riportava a Parigi, dove la comperò Camillo Borghese [Della Pergola, *Galleria Borghese*, 1953].

Con l'eccezione di Gronau, che la data 1526, è concorde il riferimento della critica moderna al periodo fra il 1531 e il '32. Del resto, a conforto della cronologia inoltrata, risulta particolarmente significativo il paragone con alcune figure di angeli nei pennacchi del Duomo parmense (n. 69), mentre la ricchezza della tessitura pittorica e la sensibilità atmosferica fanno ancora una volta pensare alle meditazioni dell'Allegri sulla pittura veneta.

78 152×191 / *1531*

LEDA. Berlino, Staatliche Museen.

Degli 'Amori di Giove', è l'unico che risulti nell'inventario di Filippo II. Nel 1603 l'opera fu acquistata a Madrid, col *Ganimede* (n. 80, si veda), per conto di Rodolfo II e trasferita a Praga; quivi fu inclusa (1648) nel bottino degli svedesi e portata a Stoccolma, unitamente alla *Danae*, di cui segue la vicenda (si veda n. 77) fin quando le due opere divennero proprietà degli Orléans a Parigi. Quivi, il figlio del duca acquirente, colto da furori moralistici, taglia a pezzi la tela e distrugge la testa di Leda; l'opera è salvata dall'intervento del regio pittore Coypel, che l'acquista e provvede a rifare la parte distrutta, ovvero dà incarico del rifacimento a Vanloo, Boucher oppure Deslyens; in ogni caso, la testa di Leda visibile attualmente spetta a Schlesinger. All'asta dell'eredità Coypel (1752) il dipinto venne acquistato dal collezionista Pasquier; e, alla morte di questo, da Federico il Grande di Prussia. Nel 1806 ritornava a Parigi col bottino napoleonico, e fu restituita nel 1812.

Le proposte per la cronologia variano fra il 1530-32 [Gronau; Bottari], il 1531-32 [Bianconi] e il 1533 circa [A. Venturi, 1926; Ricci]. La contemporaneità rispetto alla *Danae* sembra evidente per i riferimenti ai lavori terminali nel Duomo di Parma.

Se ne menzionano varie copie antiche, totali o parziali; di particolare importanza risulta quella nel Prado di Madrid, essendo stata ripresa prima della mutilazione dell'originale.

79 163×714 / *1531*

IO. Vienna, Kunsthistorisches Museum.

Si tratta della ninfa Io abbracciata da Giove sotto forma di nube. Fino al 1603 l'opera segue la stessa vicenda della *Danae* (si veda n. 77). Nel 1621 l'*Io* non si trovava più a Praga; probabilmente era già a Vienna, dove

82

Disegno (Dresda, Kupferstichkabinett) relativo al n. 82.

risulta di sicuro dal 1702, forse assieme al *Ganimede* (n. 80), del quale è considerata *pendant*. Lo Strzygowski indica una possibile fonte per la composizione nel rilievo antico del *Satiro che bacia una donna vista di schiena* nel Museo Archeologico di Venezia. Il Suida ha notato come l'opera in esame abbia ispirato Tiziano per la *Venere e Adone* del 1553 (Madrid, Prado): anche tale fatto potrebbe essere non privo di valore agli effetti dell'ipotesi circa il mancato dono degli 'Amori di Giove' a Carlo V, da parte del Gonzaga.

83 [Tav. LXIV]   **84 A**   **84 B**

80 ▦ ⊘ 163×71 *1531* ▤ ⋮

GANIMEDE. Vienna, Kunsthistorisches Museum.

Si vuole che nel 1585 l'ambasciatore di Rodolfo II in Spagna, Khevenhiller, l'abbia visto mentre si trovava nella collezione dell'ex favorito reale Pérez; è probabile, mentre non persuade che nel 1587 lo stesso ambasciatore inviasse al proprio sovrano una copia del presente dipinto che non gli riuscì di acquistare, essendo ritornato nel tesoro della Corona spagnola, e assieme unisse — per le medesime ragioni — anche le copie dell'*Io*, l'opera *pendant*, e della *Leda*, quando si sa che l'*Io* era a Milano almeno dal 1584 (si veda ai n. 78 e 79). Con quest'ultima si trovava a Vienna già dal 1631; comunque nella città austriaca lo segnala sicuramente l'Ottonelli nel 1652. La critica moderna concorda nel riferirlo al periodo fra il 1530 e il '32. La contemporaneità e i legami di 'gemellaggio' con l'*Io* trovano conferma nella composizione stessa, serpentinata.

81 ▦ ⊘ 62×50 *1531* ▤ ⋮

SANTA CATERINA LEGGENTE. Hampton Court, collezioni reali.

Prima della presa di posizione del Gronau, l'autografia del dipinto era assai discussa; d'altronde non sembra essere nemmeno oggi, dopo l'accoglimento — fra altri — del Ricci, concordemente ammessa, visto che

85

per esempio il Bottari la gratifica d'un punto interrogativo, con poche altre opere, in un elenco supplementare di attribuzioni al Correggio. La critica moderna concorda su una cronologia piuttosto anticipata: 1526 circa [Gronau], 1525 circa [A. Venturi, 1926], forse 1528 [Ricci], 1527-28 [Bianconi]. Eppure i confronti con gli 'Amori di Giove' — in particolare con l'*Io* (n. 79), per la peculiare intensità con cui si legano figure e atmosfera — risultano assai evidenti, e del resto, dopo che li aveva prospettati il Gronau, li aveva ribaditi il Bianconi.

82 ▦ ⊘ 285×190 1531-32 ▤ ⋮

MADONNA DI SAN GIORGIO. Dresda, Gemäldegalerie.

Oltre alla Vergine assisa in trono col Bambino, sono raffigurati, a sinistra, il Battista e san Gimignano, cui un putto regge il modello della città di Modena; a destra, san Pietro Martire e san Giorgio col piede sulla testa del drago; tre altri putti, con le armi di quest'ultimo santo, si trovano in primo piano; e due, ancora, reggono ghirlande agli angoli del padiglione ove è immaginata la visione. Apparteneva all'oratorio — o scuola — di San Pietro Martire in Modena, finito di costruire nel 1532, data non priva d'importanza per la cronologia dell'opera, essendo pensabile che essa sia stata voluta per l'oratorio stesso. Di sicuro i confratelli di San Pietro Martire ne erano gelosissimi, al punto che nel 1578 rifiutavano di lasciarla copiare al giovane D. Moni, adducendo che aveva già corso gravi pericoli quando era stata smossa per darla da riprodurre a B. Passarotti e F. Madonnina. Nonostante tale attaccamento, nel 1649 Francesco I d'Este se la faceva consegnare, promettendo un buon compenso e una copia — piuttosto libera — del Guercino. Nel 1746 veniva ceduta dal duca di Modena Francesco III all'elettore Augusto di Sassonia, e in tal modo giunse a Dresda. Il riferimento al 1530-32 è praticamente concorde da parte dei critici moderni. Il Popham [1957] ha precisato che la citazione del Lancillotto nella *Cronaca modenese* consente di stabilire che l'opera fu compiuta appunto nel '32, mentre la data 1530 apposta su una copia o derivazione firmata da tale "Hieronimus comus mutinensis" costituisce un termine *ante quem*

non. Il dipinto evoca coscientemente il mondo proporzionato della cappella dell'Alberti in Sant'Andrea di Mantova, ma applicandovi i risultati delle ricerche anteriori nell'ambito di Tiziano e dell'Anselmi, anzi, in genere, della cultura manieristica, tanto da lasciar scorgere forse qualche scambio anche col Parmigianino.

I disegni collegabili al dipinto sono due: quello di Dresda, comprendente pure la cornice, intesa come arco di trionfo oltre il quale la visione acquista valore teatrale; e quello del British Museum per il fregio con putti e il semicerchio vimineo sovrastante.

83 ▦ ⊘ 141×86 *1532-33* ▤ ⋮

ALLEGORIA DEL VIZIO. Parigi, Louvre.

Di iconografia piuttosto complessa, come del resto il *pendant* (n. 84). Si vuole che la figura seduta alla base del grande albero sia il Vizio, che tenta di divincolare le mani, legate all'albero stesso; la figura di sinistra — la Coscienza che rimorde, secondo il Mengs — gli sta accostando vipere; l'altra — la Gioia — gli rintrona le orecchie con uno zufolo; l'ultima — l'Abitudine — gli avvince all'albero anche i piedi; tutte e tre hanno serpi nei capelli. In primo piano, un satiretto con uva, secondo un 'taglio' non inconsueto nel Correggio. Assieme al *pendant*, proviene dal 'gabinetto' di Isabella d'Este nel castello di Mantova, dove entrambi sono ricordati in documenti del 1542 e del 1627, editi dal D'Arco [1845] e dal Luzio [1908], con le denominazioni rispettive di "tre deità" e di "Marsia e Apollo": a causa di tale destinazione, accanto alle opere di Mantegna, Costa e Perugino, i due dipinti dovettero essere stati eseguiti a tempera su tela. Nel 1628 lasciarono Mantova, facendo parte delle opere cedute dai Gonzaga a Carlo I d'Inghilterra [in Luzio, 1913]. Dopo la decapitazione del nuovo proprietario furono acquistate dal banchiere Jabach, che vendette l'opera in esame a Luigi XIV, la 'gemella' al Mazzarino (dai cui eredi passò, poi, pure al sovrano di Francia). Concorde l'ammissione dell'autografia e il riferimento della critica moderna al periodo verso il 1532-33, tranne Popham [1957], propenso piuttosto per il 1533-34. Lo studioso

rileva inoltre che il tema, in entrambe le opere, doveva essere molto vincolante per il pittore: lo studioso stesso collega infatti con il dipinto un disegno nel British Museum di Londra, assai finito e praticamente senza varianti rispetto alla tela.

84 ▦ ⊘ 141×86 *1532-34* ▤ ⋮

ALLEGORIA DELLA VIRTÙ. Parigi, Louvre.

A. Figurazione assai complessa che viene spiegata nel modo seguente: la personificazione della Virtù siede al centro, armata e nell'atto di calpestare il drago (cioè il Vizio); la circondano tre figure, che simboleggerebbero (da sinistra): la prima, le Virtù cardinali (la piccola serpe nei capelli, la spada e la pelle di leone vi alluderebbero, ma è da ricordare che dette Virtù sono quattro); la seconda, la Gloria, intenta a coronare la Virtù; la terza, che con una mano appunta il compasso sul globo e con l'altra indica il cielo, le Scienze terrestri e celesti. Tre angeli in volo completano, in alto, la composizione. Per la vicenda esterna e per la cronologia vale quanto asserito a proposito del *pendant* (n. 83). E invece da notare che parecchie riserve furono avanzate — ingiustamente peraltro — sull'autografia del dipinto in esame, specie a causa della pretesa acidità dei colori; e vari critici, da Mengs a Mündler, da Meyer a Venturi e Ricci, propendono a scorgere una prima stesura della composizione nella versione commentata qui di seguito.

B. Tela (cm. 150×86). Rispetto

'Prima idea' (Parigi, Louvre) per la composizione dei n. 84 A e B.

alla precedente, risulta incompiuta, specie per quanto concerne la parte superiore e quella mediana (limitatamente alle architetture). Appartiene alla galleria Doria Pamphilj di Roma. Per il Morelli, si tratta di copia settecentesca, da identificarsi con una di quelle fatte eseguire dall'allora proprietario Jabach avvalendosi dei pittori Massé, Corneille, Pesne, Rousseau. Autografa, anzi, unica genuina delle due versioni, secondo Meyer, A. Venturi e altri. Il Ricci prospetta un'ipotesi che sembra molto plausibile: notando che fra questa e la versione suddetta esiste un divario di dimensioni, e che quelle dell'altra coincidono con le cornici rimaste nel 'gabinetto' d'Isabella a Mantova, lo studioso pensa che la tela Doria venisse abbandonata dal Correggio nel momento in cui il supporto si rivelò troppo più alto dell'alloggio che gli era riservato. L'ipotesi viene accolta anche da Popham [1957], concorde sull'autografia. A conferma della sua anteriorità, è da avvertire come la tela Doria si colleghi, meglio di quanto non avvenga per quella del Louvre, con un disegno preparatorio (pure al Louvre).

85 ▦ ⊘ 29,6×22 *1533-34* ▤ ⋮

ERCOLE ACCOLTO NELL'OLIMPO. Oxford, Christ Church College.

Già ascritto al Correggio fino al 1766 [(T. Martyn) *The English Connoisseur*]; poi, genericamente, a "scuola parmense" o a imitatore dell'Allegri [Borenius, Catalogo, 1916]. Il riferimento diretto al maestro venne modernamente ribadito da F. Bologna [1957], collegandolo con il suo inedito concetto delle cupole, "non solo come occhi aperti sul cielo, ma come trasformazione allusiva della stessa calotta muraria in una volta di cielo vero, attraversato da nuvole ed abitato da deità". Lo studioso confronta inoltre l'opera con il *Giove e Antiope* (n. 72) e con la *Leda* (n. 78), mentre la singola figura di Ercole viene da lui messa in rapporto con quelle nei sottarchi del Duomo di Parma (n. 69 [F-K]), desumendone elementi per prospettare una datazione immediatamente posteriore a tali dipinti. Il Bologna, infine, pensa che si tratti del "primo pensiero di una decorazione in progetto per il duca di Mantova": quella per cui l'artista ricevette un anticipo e che doveva costituire un secondo ciclo di 'Amori di Giove', avendo la composizione in esame come cupolino (si veda anche il n. 94). Il Bottari [1961] accolse la proposta del Bologna, mentre la respingono T. Ferrari ["Parma per l'arte" 1956] e — per suggerimento di Popham — J. Byam Shaw [Catalogo, 1967]. In effetti sembra di dover propendere per l'accoglimento: l'opera è strettamente connessa alle ricerche di Giulio Romano, ma ne rovescia i termini; dove Giulio disegna e frange, come nella sala dei Giganti al Te, il Correggio fonde e dissolve; è la luce che tutto attraversa, la luce paradisiaca, della conoscenza, e, naturalmente, ancora l'idea del gran pozzo scorciato dal basso, un vero e proprio addensarsi di figure fino al vuoto mediano, diversamente che in San Giovanni Evangelista e in Duomo, appunto lasciato lucidamente aperto.

Ulteriori opere perdute

Oltre a quello menzionato nel Catalogo (n. 41), risultano variamente dalle fonti, con numerosi altri di autografia non accertabile, i seguenti dipinti, per i quali il riferimento al maestro riveste particolare attendibilità. Se ne dà l'elenco secondo un possibile ordine cronologico, eccetto che per gli ultimi 'numeri', non determinabili in tal senso.

86. ANGELI REGGI-SCUDO.
Affreschi già nella cappella funebre del Mantegna in Sant'Andrea di Mantova, ricordati dal Donesmondi [1613] come autografi del Correggio esordiente (si veda al n. 1 del *Catalogo* la descrizione dei dipinti, distrutti per l'ampliamento della finestra sopra la quale si trovavano. Dopo avere assegnato al giovane Allegri l'ornamentazione della cupola della cappella stessa e delle figure di Evangelisti nei pennacchi, non si hanno difficoltà ad accogliere l'attribuzione del Donesmondi.

87. MADDALENA LEGGENTE.
Il tema, anzi una sua peculiare soluzione compositiva, è noto attraverso una trentina di copie, fra le quali godette altissima reputazione quella nella Gemäldegalerie di Dresda (rame, 29×39,5), considerata come la versione autografa almeno da quando risulta compresa nell'inventario farnesiano del 1680 (concorde, poi, anche il Venturi e, in parte, il Ricci, con il dubbioso riferimento al 1520-21), finché il Morelli non la declassò a copia del '6 o '700, forse di A. van der Werft. Risulta che anche il Feti riprodusse un'opera del Correggio raffigurante "santa Maria Maddalena distesa nella grotta, con una mano sotto il libro, l'altra che sostiene il capo sopra il libro".

88. GIOVANE FUGGENTE DALLA CATTURA DI CRISTO.
Dubbiosamente identificato come un'opera dei Barberini di Roma (sec. XVII), poi trasferita in Inghilterra; ovvero con una offerta in vendita (1663) da G. de Rosis a don A. Ruffo di Bagnara per 250 scudi e che Salvator Rosa dichiarava "bellissimo" autografo del Correggio [V. Ruffo, 1916]. In pratica, però, l'antica esistenza d'un originale di

Maddalena penitente in lettura (Dresda, Gemäldegalerie), in possibile rapporto col n. 87.

Tela (Parma, Galleria) in probabile relazione col dipinto n. 88.

gran mano è comprovata da una decina di copie, fra cui s'impone quella (tela, 66×55) nella Galleria di Parma. La derivazione dal Correggio trova pressoché concorde la critica moderna, mentre le proposte per la cronologia variano dal 1519 circa [Ricci] al 1525-30 [Bianconi]. A giudicare dagli elementi manieristici che rinviano al *Martirio di quattro santi* (n. 57), si dovrebbe propendere per il 1525 circa.

89. SACRA FAMIGLIA (Madonna Bianconi).
Nota da una incisione (1784) del ticinese D. Aspari, che corrisponde a quanto scrive il Vasari d'un dipinto del Correggio allora in proprietà del "cavalier Boiardo in Parma". Si tratta d'un episodio, dai Vangeli apocrifi, in rapporto con la fuga in Egitto: la Vergine svela o copre il Bambino, che prende frutta da san Giuseppe. Le proposte cronologiche vertono per lo più sul 1522; la prossimità stilistica alla *Madonna* di Budapest

90. TRITTICO DELL'UMANITÀ DI CRISTO.
All'inizio del '600 si trovava nell'oratorio di Santa Maria della Misericordia in Correggio; costituito dal *Battista*, *Cristo in gloria* e *San Bartolomeo*. Nel 1612 fu acquistato dall'ultimo signore di Correggio, Siro d'Austria; alla sua deposizione, questi lo affidava (1635) ai principi di Novellara, dai quali non riuscì più a riaverlo; della vicenda successiva è possibile soltanto ricordare che, appunto a Novellara, nel 1797 tale Panelli acquistava un *Battista*, poi pervenuto a un dottor G. Bianconi, ma si ignora se fosse quello del trittico oppure no. Una tela (105×98) della Pinacoteca Vaticana è considerata copia carraccesca dell'elemento centrale. Altra, col *Battista*, già nella collezione Robinson di Londra (non si sa se sia quella appartenuta al dottor Bianconi), venne identificata a lungo — anche dal Venturi e dal Ricci (riferendola dubbiosamente al 1520-21) — con l'originale dell'elemento a sinistra; ma già il Gronau si asteneva dal giudicarla, e l'attuale irreperibilità impedisce una presa di posizione. Altre versioni del *Battista* vengono ricordate, come copie, nella quadreria Campori di Modena, in proprietà privata a Correggio, nel castello di Windsor, ecc. In ogni caso, il riferimento cronologico avanzato dal Ricci non sembra accettabile, dovendosi piuttosto pensare alla fine del terzo decennio del '500.

91. APOLLO E MARSIA.
Inciso nel 1562 da G. Sanuto "ex clarissimi pictoris Antonii de Correggio pictura". Un disegno al Louvre si riferisce alla figura di Marsia [Popham, 1957]; mentre una versione dipinta dell'intera composizione — già dei Litta a Milano, e ora all'Ermitage di Leningrado — viene giudicata dubitativamente autografa dallo stesso Popham, in contrasto però con lo Zamboni [1958] che, concorde il Bottari [1961], pensa trattarsi d'una copia dovuta a G. Sons.

92. MADDALENA PENITENTE.
Descritta nella lettera (1528) di Veronica Gambara a Isabella Gonzaga, accennata nella *Documentazione*: "Rappresenta la Maddalena nel deserto ricoverata in orrido speco a far penitenza; sta essa genuflessa da lato destro con le mani giunte, alzate al cielo in atto di domandar perdono ...", seguono svariati e-

logi. Una stampa firmata da "F. Pilotij" (Roma, Gabinetto delle Stampe, n. 86598), morto entro il 1844, presenta una composizione analoga, ed è dichiarata desunta dal "Correggio"; poiché la missiva suddetta fu resa nota soltanto nel 1874 [Braghirolli], il Ricci è propenso a credere che il Piloty possa avere realmente copiato (e non inventato di suo) un'opera dell'Allegri. Nessun'altra *Maddalena* correggesca appare riferibile allo scritto della Gambara, mentre quella dell'incisione testé ricordata potrebbe realmente convenire al tempo della missiva stessa.

93. SANTI GIOVANNI BATTISTA, ANTONIO, AGATA E ROCCO.
Popham [1957], pubblicando un disegno autografo degli

(Da sinistra) Copia (Pinacoteca Vaticana) della parte centrale e possibile autografo (già Robinson) dell'elemento a sinistra del n. 90.

Uffizi con i santi suddetti, in una composizione non assimilabile ad alcuna delle opere note del Correggio, propone di identificarlo come progetto per la pala commissionata al pittore, ma mai eseguita, da A. Panciroli da Reggio Emilia, cui tre mesi dopo la morte dell'Allegri veniva restituito l'anticipo per il lavoro (si veda *Documentazione*, 1534). Lo studioso propone positivi raffronti con opere tarde, specie con la *Madonna della scodella* (n. 76). L'ipotesi del Popham appare suggestiva; e, anche se non si tratta di tale pala, certamente la cronologia del disegno risulta assai avanzata. L'idea della grande apertura mediana tra i santi inseriti nel paesaggio, i ricordi toscani e romani ormai arricchiti da quella sensibilità per la luce che caratterizza, appunto, gli ultimi dipinti del maestro.

94. 'Amori di Giove'.
Trattasi d'un secondo ciclo dedicato al tema già illustrato dal Correg-

gio nelle opere di cui ai n. 77-80. Anche la nuova serie era stata commissionata per il duca Federico II di Mantova, come risulta dal carteggio intercorso fra quest'ultimo e il governatore di Parma (si veda *Documentazione*). Probabilmente non realizzato, il gruppo doveva comprendere tele "raccolte in un'apposita sala del Palazzo Ducale, sala che avrebbe dovuto trovare la sua conclusione" nell'*Olimpo* (di cui al n. 85) [Bottari], secondo l'ipotesi avanzata dal Bologna [1957].

95. BATTAGLIA FRA LUSSURIA E CASTITÀ.
Popham [1957], prendendo spunto da un disegno autografo (Bayonne, Musée des Beaux-Arts), raffigurante, oltre che una testa di cavallo,

il tema di Venere o la Lussuria in lotta con Diana o la Castità, pensa che il Correggio possa essere stato incaricato da Isabella d'Este di sostituire il dipinto eseguito dal Perugino per il suo celebre 'gabinetto' nel Castello di Mantova (ora al Louvre), di cui la 'storia' mitologica suddetta ripete il soggetto. Ciò avrebbe dovuto avvenire dopo la consegna delle due *Allegorie* (n. 83 e 84 A) ora pure al Louvre; ed è pensabile che il pittore non abbia potuto attendervi perché sopraggiunse la morte. L'ipotesi di Popham trova consenzienti sia lo Zamboni [1958] sia il Bottari [1961].

96. ERODIADE.
Ricordata dal Ricci [1930], senza ulteriori ragguagli, come dipinto autografo già esistente a Correggio.

97. Tema ignoto.
Fra gli autografi dell'Allegri il Vasari cita "un quadro bellissimo e raro", acquistato a Reggio Emilia da L. Pallavicini, che l'inviò a Genova.

(Da sinistra) Copia incisa (Sanuto, 1562) e disegno per la figura di Marsia (Parigi, Louvre), in rapporto col dipinto di cui al n. 91. - Studio (Firenze, Uffizi) in possibile relazione con l'opera di cui al n. 93. - Possibili 'ricerche' (recto e verso di un foglio nel Musée Bonnat di Bayonne) per la Battaglia discussa al n. 95.

Altre opere attribuite

Si elencano qui di seguito quei dipinti che, pur autorevolmente ascritti al Correggio, non si ritiene di poter accogliere nel novero degli autografi, o per la difficoltà d'un esame diretto o per altri motivi indicati nelle singole 'schede'. Data l'impossibilità di elencarli nella sequenza cronologica, si dànno secondo l'ordine alfabetico delle ultime ubicazioni rese pubbliche.

BERGAMO [?]
propr. priv.

98. MADONNA COL BAMBINO. Assegnata al giovane Correggio dal Longhi [1958], che parla di intaglio "glittico" riferibile al Mantegna, da confrontare con la *Santa Caterina* di Londra (n. 4), "mentre il fondo di paese ... sembra già denotare una prima cauta delibazione giorgionesca, e ciò forse per mediazione del Garofalo". L'idea, forse veneta, del drappo che apre sul paesag-

gio, garofalesco appunto, potrebbe rientrare nelle espressioni giovanili del Correggio, ma la mediocrità della riproduzione fotografica fornita dallo studioso e le probabili spuliture del dipinto che essa lascia sospettare inducono a sospendere il giudizio.

BOSTON
Isabella Stewart Gardner Museum

99. RAGAZZA CHE SI ESTRAE UNA SPINA DAL PIEDE. Tela (93×63). Talora il personaggio viene identificato con Venere. Pervenuta (1897) da una collezione italiana, di Roma o di Firenze. Già considerata autografa da Berenson (però l'attribuzione non risulta negli ultimi *Indici*) e da A. Venturi [1926], però senza alcun seguito, neppure nei cataloghi del Museo [Hendy, 1931; Longstreet, 1935], dove è ascritta a un seguace dell'Allegri.

98

99

100

DETROIT
Institute of Arts

100. MADONNA COL BAMBINO ('Mater amabilis', Madonna Crespi). Tavola (20,5×21). Pervenuta dalla collezione Crespi di Milano (donde il titolo suddetto). Considerata autografa, verso il 1518, da Groñau, concordi Frizzoni e Berenson (quest'ultimo, ancora negli *Indici* del 1968). A. Venturi l'ascrive invece a Pomponio Allegri; anche il Bianconi la respinge dal novero degli autografi.

FIRENZE
propr. priv.

101. ASSUNZIONE DI SANTA MARIA EGIZIACA. Tavola (49×38). Resa nota come autografa dal Longhi [1958], indicandone il timbro ferrarese. La figura della santa risulta ingiudicabile per le estese ridipinture antiquariali, pur su uno schema arcaico, di timbro tardo-quattrocentesco; ben conservato, invece, il paesaggio, e leggibile nei suoi rinvii al Dosso, che potrebbero postulare la mano del giovane Allegri.

101

ISOLABELLA
Palazzo Borromeo

102. MADONNA ALLATTANTE IL BAMBINO. Assegnata al Correggio dal A. Venturi in relazione con gli affreschi in San Giovanni Evangelista di Parma. Sembra piuttosto lombarda.

102

LONDRA
National Gallery

103. MADDALENA. Tela (38×30). Pervenuta col lascito Salting (1910). Ne esistono copie agli Uffizi e già in collezione Chigi Saracini di Siena; altre ne menziona il Ricci a Bologna, Roma, Parma, Milano. Lo stesso studioso ricorda che nel 1631, nel palazzo ducale di Torino, esisteva una *Maddalena* ascritta al Correggio; ma non è possibile identificarla con questa ora a Londra. Per la quale, pure il Ricci indica l'alta qualità, assegnandola con dubbio al 1517. Il Berenson la accoglie fra gli autografi; il Bianconi la esclude. Secondo il Longhi [1957] si tratta di copia d'un autografo disperso del 1518-19.

103

LUGANO
Collezione Thyssen

104. RITRATTO DI MAGISTRATO. Tela (55×40). Pervenuto, come Correggio, dalla collezione Zampieri di Bologna, attraverso quella Somzée di Bruxelles e quella del console Weber di Amburgo (dove era attribuito al Greco). Il riferimento all'Allegri, ribadito da Hijmans ["GBA" 1897], trovò concordi A. Venturi ["A" 1925], Mayer ["PA" 1929] e Ricci [1930], e viene ripetuto nel recente catalogo della collezione [Heinemann, 1964]. Anche il Bottari [1961] sembra accoglierlo, mentre il Bianconi lo pone in dubbio.

MANTOVA
Sant'Andrea

105. ASCENSIONE DI CRISTO. Affresco, con sinopia (n. 105 A¹;

diametro cm. 245), già nell'atrio della chiesa. Datato 1488. Per il Donesmondi, del Correggio; poi, a partire dal secolo scorso, considerato di Francesco e Ludovico Mantegna; senza dubbio, di scuola mantegnesca [Paccagnini]. (Si veda ai n. 13 A e B).

106. SACRA FAMIGLIA E FAMIGLIA DEL BATTISTA. Tela (40×169) nella cappella funebre del Mantegna. Assegnata al Correggio, da A. Venturi, come prosecutore di Francesco Mantegna su disegno di Andrea. L'ipotesi non sembra sostenibile.

MONACO
Alte Pinakothek

107. MADONNA CON I SANTI ILDEFONSO E GEROLAMO. L'attribuzione diretta al maestro, tenacemente asserita da Berenson [ancora negli *Indici* del 1968], non trova riscontro in nessuno degli studiosi recenti.

108. PASTORELLO CHE SUONA LA SIRINGA. Tavola (19×16). Ebbe attribuzioni a Palma il Vecchio, Lotto, Giorgione e Dosso. Spetta al Morelli il primo riferimento al Correggio, concordi Gronau e A. Venturi [1926]. Il Ricci, negando l'asserita identificazione con l'opera citata dal Pungileoni in casa Ravizzi di Parma, respinge anche l'asse-

105 A   105 A¹

106

gnazione al Correggio, che del resto viene sottaciuta dagli studiosi recenti.

NOVELLARA
Rocca

109. Temi vari. Affreschi. A. Venturi [1915] ricorda alcuni documenti addotti da Q. Bigi, tendenti a comprovare l'autografia del Correggio artatamente forzando le interpretazioni dei nomi; quanto alle date di tali carte, si tratterebbe del 1514-16 o, secondo il Pungileoni, 1514-18. Tuttavia i dipinti appaiono molto posteriori.

OLDENBURG [già]
Galleria Granducale

110. IL BATTISTA NEL DESERTO. Tela (105×75). Venduto ad Amsterdam (1924) per 2.400 fiorini. Accolto come autografo da

A. Venturi [1927], mentre già lo poneva in dubbio il Gronau, seguito dal Ricci.

PARMA
San Giovanni Evangelista (Cappella Del Bono)

111. CADUTA DI SAN PAOLO [A] - SANTI PIETRO E ANDREA [C] - L'ETERNO IN UN CLIPEO RETTO DA ANGELI [B]. Affreschi con qualche ripresa a tempera, nel sottarco d'ingresso. Assegnati al Rondani, a partire dal Ruta [1739]; così, anche, A. Venturi [1926], pur indicando la probabilità che si tratti della cattiva traduzione di disegni del Correggio. Popham [1957] — individuando disegni dell'Allegri (Chatsworth, propr. Devonshire) relativi all'occhio mediano, uno con l'Eterno, uno con la Vergine circondata da putti, e un terzo per una coppia di angeli reggiclipeo (raffigurante inoltre una delle aperture architravate sottostanti: il campo per uno degli affreschi istoriati) — sostiene che anche la stesura pittorica spetti al Correggio. L'ipotesi viene respinta dallo Zamboni [1958], che per le figure di san Paolo e dell'Eterno pensa alla mano dell'Anselmi, mentre quelle di san Pietro e di sant'Andrea gli sembrano d'un pennello anche meno dotato; co-

munque lo studioso non esclude del tutto un intervento del maestro. La Ghidiglia Quintavalle [1960] pensa che la stesura pittorica della *Caduta di san Paolo* spetti interamente all'Anselmi, tranne l'armigero a destra, dove scorge la mano del Rondani; così nel *San Pietro*, il disegno generale e la stesura del tempio classico si devono all'Anselmi, il resto al Rondani, esecutore inoltre dell'Eterno, mentre nei putti ricompare la mano del collega. A restauro avvenuto, la studiosa [1962] ribadiva l'appartenenza al Rondani dell'affresco mediano e dei putti nel terzo, mentre i due laterali "riflettano in qualche parte il fare dell'Anselmi". La cronologia del ciclo viene fissata al 1520-23; se poi è esatta l'asserzione di Popham, che la *Caduta di san Paolo* del Pordenone nel Duomo di Spilimbergo (datata 1524) deriva da questa in esame, si avrebbe un sicuro termine an-

Disegni autografi del Correggio (Chatsworth, propr. Devonshire) relativi agli affreschi di cui al n. 111.

111 A

111 C

111 B

te quem non; e forse si può ulteriormente circoscrivere la datazione al 1522-23, verso la fine dei lavori del Correggio nella chiesa. Resta infine da notare che la collaborazione fra l'An-

selmi e il Rondani ipotizzata dalla Ghidiglia Quintavalle per i presenti affreschi non costituisce un fatto isolato nell'ambito correggesco: lo studiosa stessa la scorge anche nei catini absi-

dali del transetto di San Giovanni Evangelista (quello a sinistra reca la data 1521), nel *Sant'Omobono elemosiniere* in San Prospero a Reggio Emilia, nell'oratorio della Concezione a Parma, ecc.; collaborazione, dunque, che i restauri recenti in San Giovanni Evangelista hanno confermato, lasciando vedere all'opera, o meglio nella realtà pratica del suo operare, la bottega del Correggio.

ROMA
Galleria Borghese

112. MADONNA COL BAMBINO E SAN GIOVANNINO. Tela (71×51). Acquistata nel 1927 presso i Fochessati di Bagno a Mantova. Copia del dipinto a Vienna per Berenson e A. Venturi; secondo il Ricci, invece, autografo verso il 1514. Il recente restauro ha consentito alla Della Pergola [1955] di concludere per l'esclusione dal novero degli autografi.

ROMA [già]
propr. Fiammingo

113. VENERE. Attribuita all'Allegri da A. Venturi [1926], ma non sembra presentare alcun rapporto con gli autografi sicuri.

propr. Lazzaroni

114. SIBILLA. Attribuita al Correggio da A. Venturi [1926]. Opera assai dubbia.

VENEZIA [già]
propr. Bruini

115. SACRA FAMIGLIA CON SAN GIOVANNINO. Tavola. Attribuita dal Longhi [1958] al Correggio entro il primo decennio del '500, senza seguito fra i posteriori studiosi del maestro. L'opera, apparentemente ridipinta, non sembra peraltro giudicabile dalla riproduzione fornita dal Longhi.

VOGHENZA (Ferrara)
propr. Massari Ricasoli

116. MADONNA E SANTI. Tavola (32×40). Attribuita alla giovinezza del Correggio da A. Venturi. Il Bianconi [1960], respingendo il riferimento diretto all'Allegri, la dichiara "schiettamente mantegnesca" e affine all'affresco nell'Estense di Modena (n. 3). Non ce n'è nota alcuna riproduzione.

104

108

110

112

113

114

115

117

Ubicazione ignota

117. SAN SEBASTIANO. Pubblicato dal Testori ["P" 1968] senza fornire alcun ragguaglio 'esterno', se non che si tratta

d'una tavoletta, opera — secondo lo studioso — autografa, da situare cronologicamente fra la *Natività* di Brera (n. 12) e la *Madonna del San Francesco* (n. 14).

Appendice *Grafica del Correggio*

Pur nella stima concordemente elevata per Correggio disegnatore, non da oggi ritenuto "primo" fra i maggiori artisti delle "scuole emiliana e lombarda del secolo XVI", sussistono forti dissensi circa l'identificazione dei suoi fogli superstiti. Il numero di essi, fatto ammontare ad almeno centocinquanta da Popham [1957], da altri studiosi viene ridotto a una novantina, in particolare per l'esclusione di disegni che dovrebbero spettare al periodo iniziale. I gruppi più consistenti riguardano — prescindendo dalle testimonianze entro il 1520, controverse dunque — gli studi per la complessa ornamentazione in San Giovanni Evangelista di Parma, per la cappella Del Bono (ibid.) e altre opere fino al '24, per la cupola del Duomo parmense, per le grandi pale posteriori al '20 e, infine, per le composizioni mitologiche dell'attività ultima. Come ha messo in rilievo lo stesso Popham, sebbene i modi del Mantegna abbiano interessato il primo Correggio, tuttavia la grafica del giovane rimane autonoma, nella sostanza, rispetto a quella del veneto; così, il preponderante ricorso alla sanguigna, verosimilmente suggerito dagli esempi di Leonardo, non comporta una stretta dipendenza dal toscano. Tratto peculiare nel linguaggio grafico dell'Allegri è la felicissima sintesi delle sue molteplici componenti culturali (ancora, rimarrebbe da accennare agli apporti stilistici dei ferraresi e altri emiliani, dei primi manieristi, di Raffaello, Michelangelo ecc.) in uno 'sfumamento' del tutto personale, che immerge la pastosa consistenza delle immagini entro un'intensa atmosfericità.

114

(A sinistra) Frammento del cartone (New York, Pierpont Morgan Library) per la Deposizione affrescata nell'atrio di Sant'Andrea a Mantova (n. 13 B). - (Sopra) Studio (Londra, coll. Schilling) della testa di un astante, arretrato, a destra, nell'Epifania a Brera (n. 38).

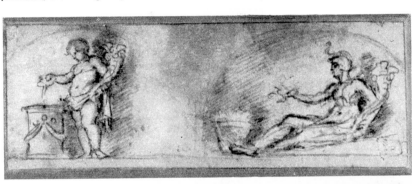

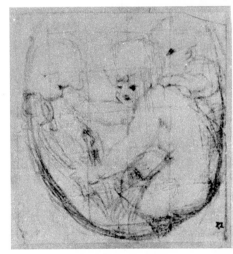

(A sinistra, dall'alto) Studio (Londra, British Museum) per lunette della Camera di San Paolo (n. 46). - Abbozzo (ibid.) per un ovato della Camera stessa (n. 45). Possibile studio (New York, Metropolitan Museum) per la decorazione d'un pilastro in San Giovanni Evangelista (n. 53). - Studio (Londra, British Museum) per il pennacchio con i santi Matteo e Gerolamo pure in San Giovanni (n. 50 B). 'Prima idea' (Windsor, collezioni reali) forse in rapporto con l'Antiope del Louvre (n. 72). - (Qui sopra, dall'alto) Studio (Parigi, Louvre) per la figura di san Giacomo Minore, pure in San Giovanni Evangelista (n. 49 A[6]). - Ricerca (Parigi, Ecole des Beaux-Arts) forse relativa alla testa dell'angelo sotto la gamba sinistra di san Tommaso in un pennacchio del Duomo di Parma (n. 69 C).

Repertori

Indice dei titoli e dei temi

Indice topografico

Indice del volume

La chiave dei simboli
posti nell'intestazione di ciascuna 'scheda' è data alla pag. 82.

Fonti fotografiche

Illustrazioni a colori: Carrieri, Milano; Flammarion, Parigi; Metropolitan Museum, New York; Meyer, Vienna; Nimatallah, Milano; Salmi, Milano; Scala, Antella; Steinkopf, Berlino; Bruno Vaghi, Parma; Witty, Sunbury-on-Thames. Illustrazioni in bianco e nero: Archivio Rizzoli, Milano; Giovetti, Mantova; Salmi, Milano; Bruno Vaghi, Parma.

Direttore responsabile: Paolo Lecaldano.

Registrazione presso il Tribunale di Milano, n. 84 del 28.2.1966.
Spedizione in abbonamento postale a tariffa ridotta editoriale:
autorizzazione n. 51804 del 30.7.1946 della Direzione PP.TT. di Milano.

Editore stampatore: Rizzoli Editore s.p.a.
Milano, Via Civitavecchia 102 - Printed in Italy